MINECRAFT

Editado por HarperCollins Ibérica, S. A., 2024
Avenida de Burgos, 8B – Planta 18
28036 Madrid
harpercollinsiberica.com

MOJANG
STUDIOS

Publicado originalmente por *HarperCollinsPublishers*, 1 London Bridge Street, Londres SE1 9GF (Reino Unido) con el título *Minecraft for begginers*.

Agradecimientos a Sherin Kwan, Alex Wiltshire, Jay Castello, Milo Bengtsson y Kelsey Ranallo.

Este libro es creación original de Farshore.

ISBN: 978-84-10021-80-8
Depósito legal: M-34114-2023

Maquetación: Gráficas 4
Adaptación de cubierta: equipo HarperCollins Ibérica

Impreso en Italia.

SEGURIDAD *ONLINE* PARA LOS MÁS JOVENES

¡Pasar el rato *online* es muy divertido! Os proponemos unas reglas sencillas para tu seguridad.
Es responsabilidad de todos que Internet siga siendo un lugar genial.

– Nunca des tu verdadero nombre ni lo pongas en tu nombre de usuario.
– Nunca facilites información personal.
– Nunca le digas a nadie a qué colegio vas ni cuántos años tienes.
– No des a nadie tu contraseña, excepto a tus padres o tutores.
– Recuerda que debes tener 13 años o más para crear una cuenta en muchas páginas web.
– Lee siempre la política de privacidad y pide permiso a tus padres o tutores antes de registrarte.
– Si ves algo que te preocupa o te molesta, díselo a tus padres o tutores.

Protégete *online*. Todas las páginas web que aparecen en este libro son correctas en el momento de la impresión. Sin embargo, HarperCollins no se hace responsable del contenido de terceros. Recuerda que el contenido *online* puede cambiar y hay páginas web cuyos contenidos no son adecuados para niños. Recomendamos que los niños solo accedan a Internet bajo supervisión.

Producto de papel FSC™ certificado de forma independiente para garantizar una gestión forestal responsable.

GUÍA PARA PRINCIPIANTES

EMPIEZA TU VIAJE CREATIVO Y DE SUPERVIVENCIA

ÍNDICE

¡HOLA!

Te damos la bienvenida a Minecraft. Tanto si acabas de empezar tu aventura como si te cuesta avanzar y necesitas ayuda, has llegado al lugar adecuado. ¡En un abrir y cerrar de ojos conseguirás sobrevivir a la noche y construir bases enormes!

En Minecraft hay mucho por descubrir, pero no te preocupes; hemos reunido una serie de guías que te enseñarán lo necesario para dar lo mejor de ti en el juego, tanto en modo Supervivencia como Creativo.

¡AGÁRRATE, QUE VIENEN BLOQUES!

¿QUÉ ES MINECRAFT?

¡Minecraft puede ser lo que tú quieras! Es un mundo de bloques para construir y vivir aventuras. No hay una historia predeterminada: ¡puedes hacer lo que te apetezca! Hay muchos territorios que explorar, además de otras dimensiones. Hay criaturas amistosas, y otras... no tanto. Y podrás construir cualquier cosa que imagines. ¡Vamos allá!

Hay dos versiones del juego: Minecraft: Java Edition y Minecraft: Bedrock Edition. Son ligeramente distintas, pero ofrecen la misma experiencia de juego. La versión que uses depende del dispositivo con el que juegues.

Si juegas a través del móvil o de una videoconsola, tu edición es Bedrock, mientras que si juegas con un Mac o con Linux será Java. Los jugadores de Windows podéis elegir entre las dos. Tu elección dependerá de si quieres jugar al modo multijugador con amigos. Ambas ediciones permiten el juego multiplataforma, pero para jugar con tus amigos necesitas tener la misma edición que ellos.

¿UN JUGADOR O MULTIJUGADOR?

Antes de escoger edición, decide si quieres jugar solo o con amigos.

UN JUGADOR

Jugar solo es ideal para conocer bien el juego. Nadie te dirá dónde ir y, mejor aún, nadie te verá morir de mil maneras ridículas mientras aprendes a jugar (en serio: ¡algunas maneras de morir son ridículas! A Lía Anta –la conocerás en la pág. 58– ¡una cabra la tiró por un precipicio!).

MULTIJUGADOR

Si lo que quieres es disfrutar con amigos, hay varias formas de jugar juntos a Minecraft. Únete a un servidor, que puede ser público o privado y en el que caben hasta 30 personas. O compra un Reino para poder jugar con seguridad con tus colegas. Ojo: te lo cobrarán cada mes, ¡más os vale ir a pachas! Si vivís cerca, también podéis jugar juntos a través de una LAN (Red de Área Local).

MODOS DE JUEGO

¿Sabías que en Minecraft hay cuatro modos de juego? Habrás oído hablar de los más comunes –Creativo y Supervivencia–, pero hay dos más: Difícil y Aventura. En este libro, descubriremos los modos Supervivencia y Creativo. ¡Elige por cuál empezar!

MODO SUPERVIVENCIA

En modo Supervivencia tendrás que encontrar lo necesario para sobrevivir: si buscas aventura, este modo es para ti. Hay peligros por todas partes y debes mantener bien llenas tus barras de hambre y salud. Este modo no es nada fácil, ¡y por eso es tan divertido! Descubrirás lo interesante que es la minería y nuevos biomas y criaturas... Bueno, las amistosas, al menos. Si crees que este es tu modo, pasa a la pág. 22.

DIFICULTADES

¡No te dejes intimidar por las criaturas hostiles! Hay cuatro niveles de dificultad para decidir cómo de fácil te lo quieres poner.

NORMAL Las criaturas son un incordio, pero no te costará sobrevivir... ¡si sabes lo que te haces!

FÁCIL Si buscas algo asequible, en este modo cuesta menos derrotar a las criaturas.

DIFÍCIL Si el normal se te queda corto, prueba este modo. Las criaturas son más resistentes; te costará más vencerlas y te derrotarán con más facilidad. Por otro lado, puede que suelten objetos más valiosos.

PACÍFICO Si no te van las criaturas hostiles, en este modo nadie intentará derrotarte.

MODO CREATIVO

Si no quieres preocuparte por las criaturas o la barra de hambre y solo te interesa emular las construcciones que has visto en internet (creadas en modo Creativo, o bien obra de jugadores MUY entregados), en modo Creativo los recursos estarán en tu inventario. Si quieres construir, descubre este modo en la pág. 80.

OTROS MODOS

¿Sientes curiosidad por los otros modos? En modo Difícil, si te mueres, ¡se acabó! Tal vez aún no estés preparado, pero si quieres ir a tope, este es tu modo. El modo Aventura suele usarse para crear mapas de aventura para contar historias. Aquí hay muchos bloques que no se rompen, así que si vienes con ganas de minar, tal vez no sea el mejor modo para ti.

SÉ TÚ MISMO

Antes de jugar, ¡tendrás que elegir un avatar! Será tu personaje durante el juego y puedes hacer que se parezca a ti ¡o desplegar tu creatividad! Si lo que quieres es empezar ya -¡normal!-, puedes usar un aspecto predeterminado; ya actualizarás el avatar más adelante. Hay nueve para elegir, ¡te los presentamos!

CREA EL TUYO

Puedes personalizar el aspecto de tu avatar, y cómo hacerlo dependerá de tu plataforma. En PC o Mac tendrás que descargarte un aspecto predeterminado para cargar en el juego desde la ventana de inicio bajo la pestaña de aspectos. En videoconsolas podrás personalizar todos los rasgos de uno en uno de una lista predeterminada para que tu avatar se parezca más a ti. ¡Ponte creativo!

¡TÚ CONTROLAS!

Todo lo que puedes hacer en Minecraft se refleja en los controles. Puedes saltar, comer, cavar, construir, atacar... Y la cosa se complica con todas las plataformas con las que puedes jugar, pero no temas, ¡para eso está este libro! Te explicaremos cómo tomar el mando.

MÓVILES

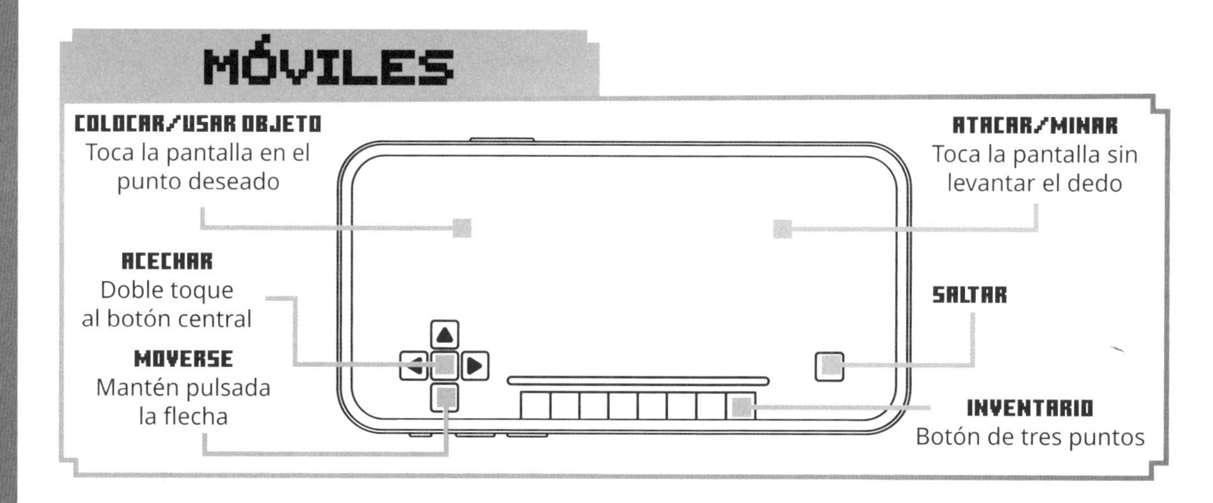

NINTENDO SWITCH

XBOX

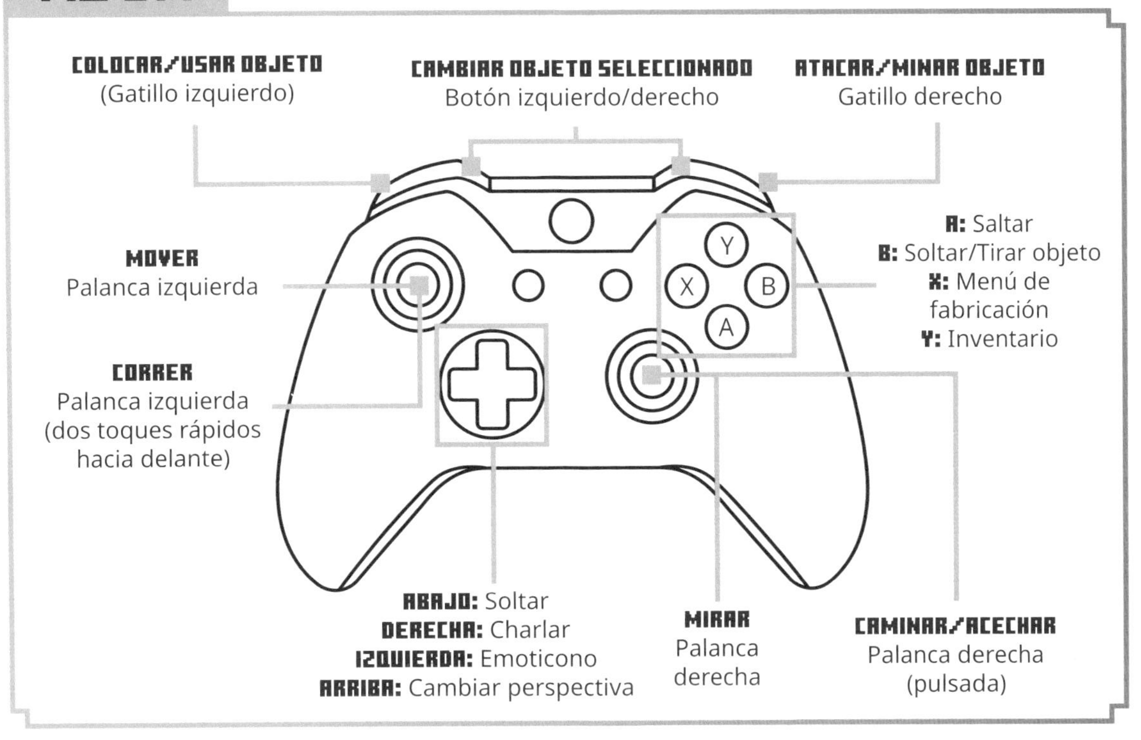

TECLADO Y RATÓN

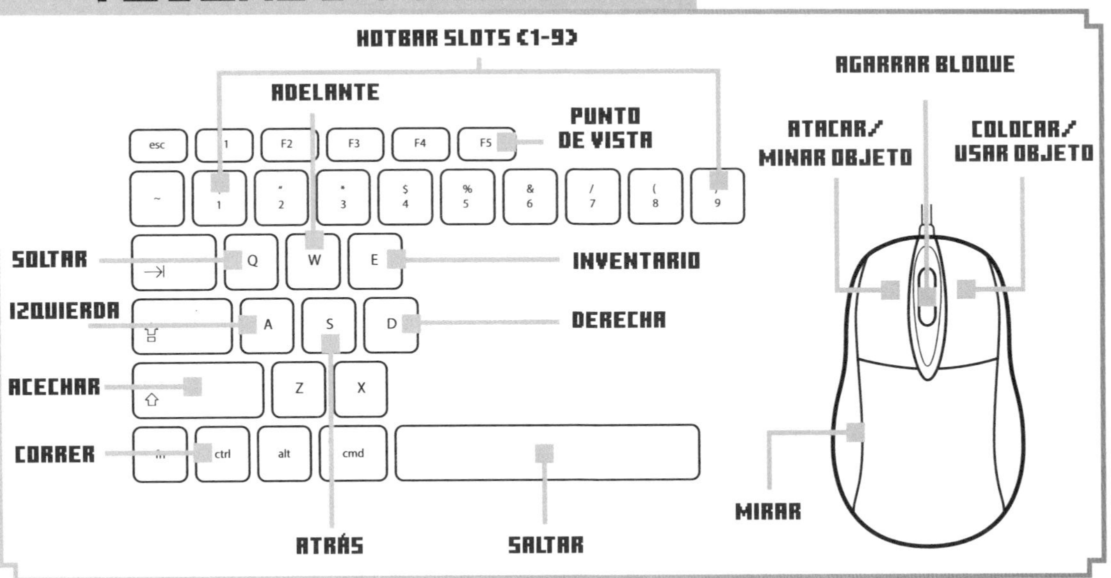

¡ATENCIÓN!

Ahora veamos qué puedes hacer con los controles. La información en pantalla te dará datos importantes sobre tu personaje, pero varía según el modo de juego. En Creativo, lo más importante es el inventario, mientras que en Supervivencia tendrás que prestar atención a la salud, el hambre y la experiencia.

MIRA

La crucecita en el centro de la pantalla te servirá para disparar armas de largo alcance, como el arco o la ballesta, y para apuntar cuando coloques bloques. Está en todos los modos de juego.

BARRA DE EXPERIENCIA

¿Te has fijado en las esferas verdes que recoges al derrotar criaturas? Parecen esmeraldas, pero no aparecen en tu inventario. Son orbes de experiencia. Se acumulan para subir el nivel de experiencia, lo que te permitirá hacer pociones, encantar objetos...

Esta pantalla es del modo Supervivencia.

BARRA DE SALUD

La salud se mide en corazones. Cada uno vale 2 puntos de salud. Tienes 10 en total, es decir, 20 puntos de salud. Si te quedas sin ellos, las consecuencias serán fatales.

BARRA ACTIVA

¿Qué tiene esta barra de importante? ¡Todo lo que coloques en ella! Está siempre en la pantalla, así que sus 9 ranuras te permitirán acceder con rapidez a objetos de tu inventario.

BARRA DE HAMBRE

Igual que con la salud, tienes 20 puntos de hambre repartidos en 10 muslos de pollo. Come mucho para recuperar puntos de salud y mantener la barra de hambre llena.

INVENTARIO

Muestra una diferencia crucial en ambos modos de juego: en Supervivencia, comenzará vacío, mientras que en Creativo tendrás un catálogo de cosas para llenarlo. En Supervivencia tendrás que reunir y fabricar todos tus bloques y objetos del juego.

SUPERVIVENCIA

SECCIÓN DE FABRICACIÓN Aquí verás lo que puedes fabricar con el espacio y materiales disponibles. Si te colocas sobre los objetos para los que no tienes recursos, aparecerá la receta y sabrás lo que necesitas.

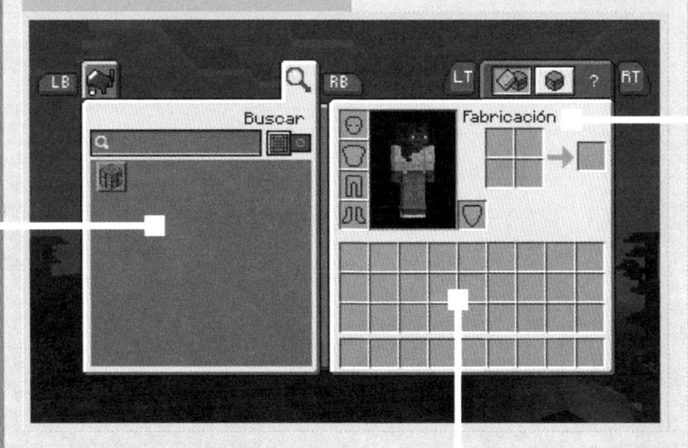

RECUADRO DE FABRICACIÓN En esta cuadrícula de 2×2 fabricarás tus primeros objetos. La mayoría de las recetas requieren una de 3×3, ¡hazte con una mesa de trabajo!

ALMACENAMIENTO En el inventario tienes 27 espacios, además de los 9 de la barra activa, y en cada casilla puedes apilar hasta 64 unidades de cada material. Hay objetos que no se pueden apilar.

CREATIVO

CATÁLOGO DE OBJETOS En Creativo, dispones de todos los bloques y objetos del juego para tu inventario. También hay cosas muy molonas que no encontrarás en modo Supervivencia.

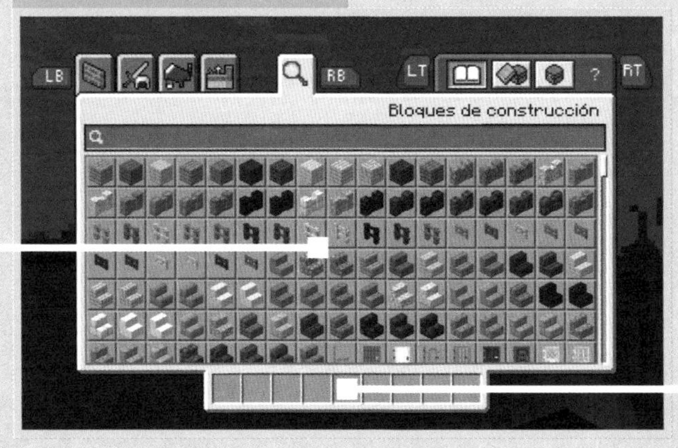

ALMACENAMIENTO Aunque tendrás las mismas 27 casillas y la barra activa, no tendrás el límite de 64 unidades. ¡De modo que aquí puedes apilar hasta el infinito!

UN NUEVO MUNDO

Ahora que ya sabes lo que te espera al entrar en el juego, es hora de crearte un mundo. En Minecraft, los mundos se llaman semillas, y hay miles de millones de posibles semillas que explorar. La probabilidad de que crees la misma semilla dos veces es pequeñísima..., ¡pero no imposible!

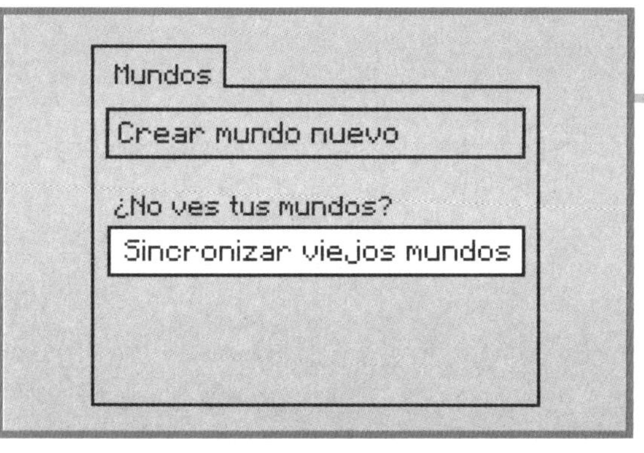

CREAR UN MUNDO

Clica en «Un jugador» y luego en «Crear mundo nuevo».

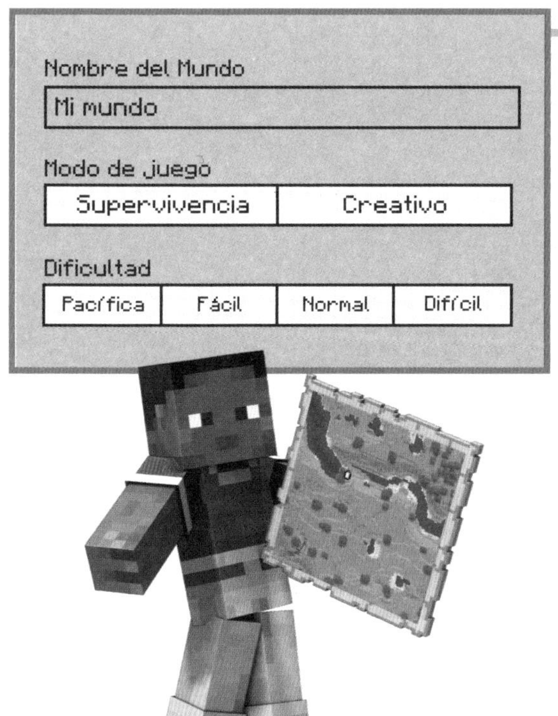

CONFIGURACIÓN

Primero de todo, deberás inventar un nombre para tu mundo, ¡el que más te guste! ¡Deja volar la imaginación!

A continuación, elige el modo de juego, la dificultad y si quieres activar los trucos.

CONFIGURACIÓN AVANZADA

Si quieres crear un mundo normal, no te hará falta, pero si quieres hacer ajustes, te contamos cómo:

¿Quieres generarte en el mismo mundo que un amigo? Elegid la misma semilla. Cada una tiene un código de 19 dígitos, así que, para generarte en el mismo mundo, basta con introducirlo. Pero eso no significa que aparezcáis en el mismo punto del mundo...

Hay otros ajustes divertidos, como «mundo llano», que hará que sea totalmente plano, o la opción de «cofre bonus»: se generará junto a ti un cofre lleno de objetos útiles.

GENERACIÓN

Te generarás en un punto al azar; puede ser un lugar ideal para un principiante o uno en el que la supervivencia se complica. ¡Veamos qué diferencia un buen sitio para generarse y uno que no lo es tanto!

¡QUÉ SUERTE!

Si tienes suerte, te generarás en un bioma con árboles, animales y agua abundantes, como un bioma de taiga o de sabana. Puede que hasta tengas cerca un pueblo, con todo lo necesario para sobrevivir. Y, aunque no te generes en un bioma ideal, si tienes un par de árboles a la vista, puedes darte con un canto en los dientes.

MALA SUERTE

Hay biomas en los que hasta los jugadores experimentados se verán en apuros, como picos nevados y desiertos. Si es el caso, más te vale olvidarte de ese mundo y generar uno nuevo.

BIOMA, DULCE BIOMA

Ya tienes tu mundo, ¡ahora tienes que averiguar dónde has aterrizado! El Mundo superior está repleto de paisajes distintos, llamados biomas, que van de desiertos abrasadores a tundras heladas, pasando por selvas tropicales y pantanos. El lugar en el que te generes afectará mucho a tu supervivencia , pues en cada bioma hay recursos y criaturas distintos.

BIOMAS TEMPLADOS

La mayoría de estos biomas son el mejor amigo del principiante, pues contienen abundantes recursos.

- Jungla de bambú
- Playa
- Bosque de abedul
- Campo de cerezos
- Bosque oscuro
- Bosque de flores
- Bosque
- Jungla
- Manglares
- Prado
- Bosque de abedul antiguo
- Llanuras
- Jungla rala
- Picos rocosos
- Llanuras de girasoles
- Pantano

BIOMAS NEVADOS

Aquí la supervivencia no será nada fácil: poco alimento y riesgo de congelación.

- Picos helados
- Arboleda
- Picos de hielo
- Picos serrados
- Playa nevada
- Llanuras
- Pendientes
- Taiga helada

BIOMAS CÁLIDOS

En estos biomas la vida es dura, pero están llenos de paisajes espectaculares y aventuras maravillosas.

- Páramos
- Desierto
- Páramos erosionados
- Sabana
- Meseta de sabana
- Sabana ventosa
- Páramos frondosos

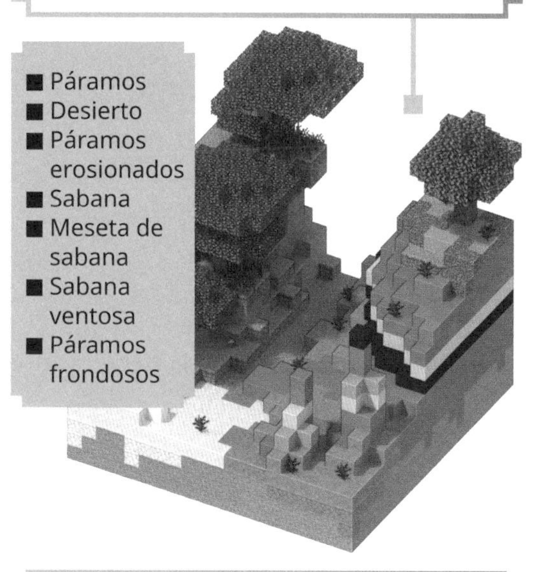

BIOMAS ACUÁTICOS

No todos los biomas están en tierra firme, aunque es muy raro que te generes bajo el agua.

- Océano helado
- Río y río helado
- Océano
- Océano profundo
- Océano tibio
- Océano tibio profundo
- Océano cálido
- Campos de champiñones

BIOMAS FRÍOS

Ojo con las caídas en estos biomas, ¡suelen ser de aúpa!

- Taiga de pinos ancestrales
- Taiga de abetos ancestrales
- Costa rocosa
- Tagia
- Taiga ventosa
- Colinas ventosas pedregosas
- Colinas ventosas

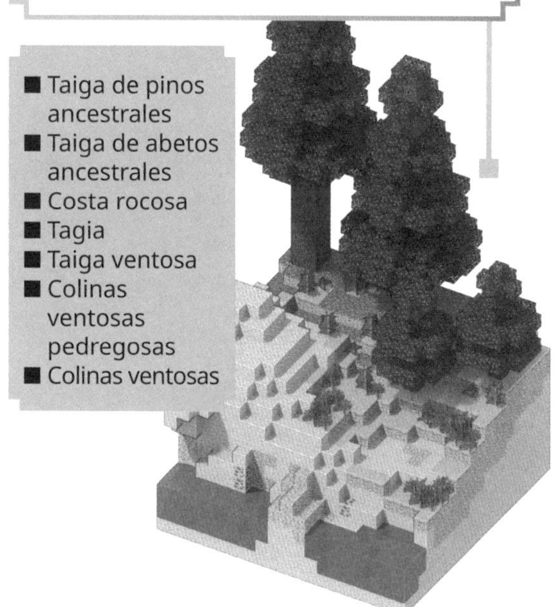

BIOMAS CAVERNA

Hay biomas subterráneos, pero no te generarás en ellos.

- Profundidades
- Cueva kárstica
- Cueva frondosa

UN MUNDO DE BLOQUES

¿Qué se te viene a la cabeza al pensar en Minecraft? ¡Bloques! Y si te lo pregunto tras generarte, ¡esa es la única respuesta posible! En Minecraft hay más de 800 tipos de bloques entre todas las dimensiones con los que minar, fabricar o construir..., y con cada actualización hay más.

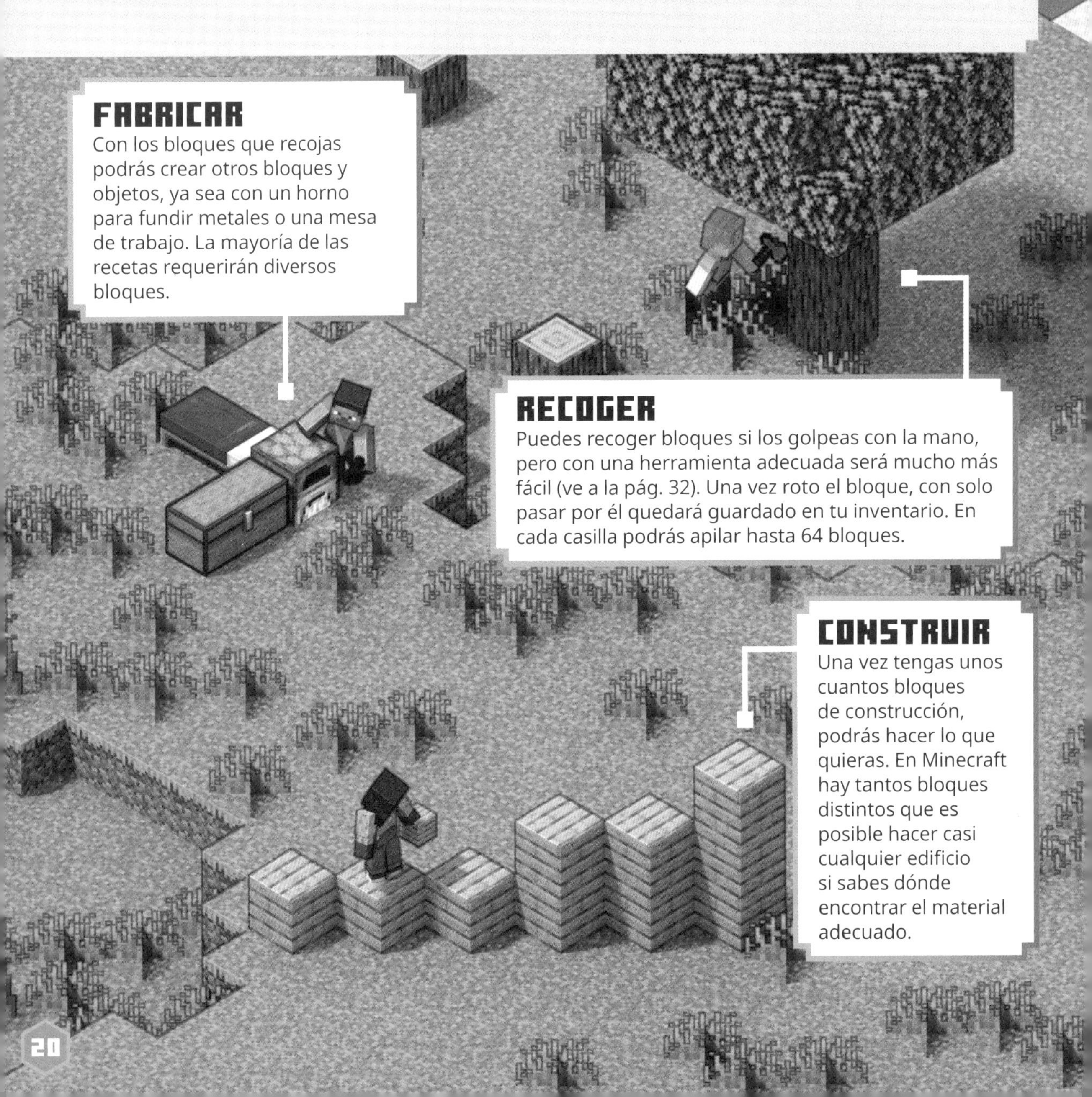

FABRICAR

Con los bloques que recojas podrás crear otros bloques y objetos, ya sea con un horno para fundir metales o una mesa de trabajo. La mayoría de las recetas requerirán diversos bloques.

RECOGER

Puedes recoger bloques si los golpeas con la mano, pero con una herramienta adecuada será mucho más fácil (ve a la pág. 32). Una vez roto el bloque, con solo pasar por él quedará guardado en tu inventario. En cada casilla podrás apilar hasta 64 bloques.

CONSTRUIR

Una vez tengas unos cuantos bloques de construcción, podrás hacer lo que quieras. En Minecraft hay tantos bloques distintos que es posible hacer casi cualquier edificio si sabes dónde encontrar el material adecuado.

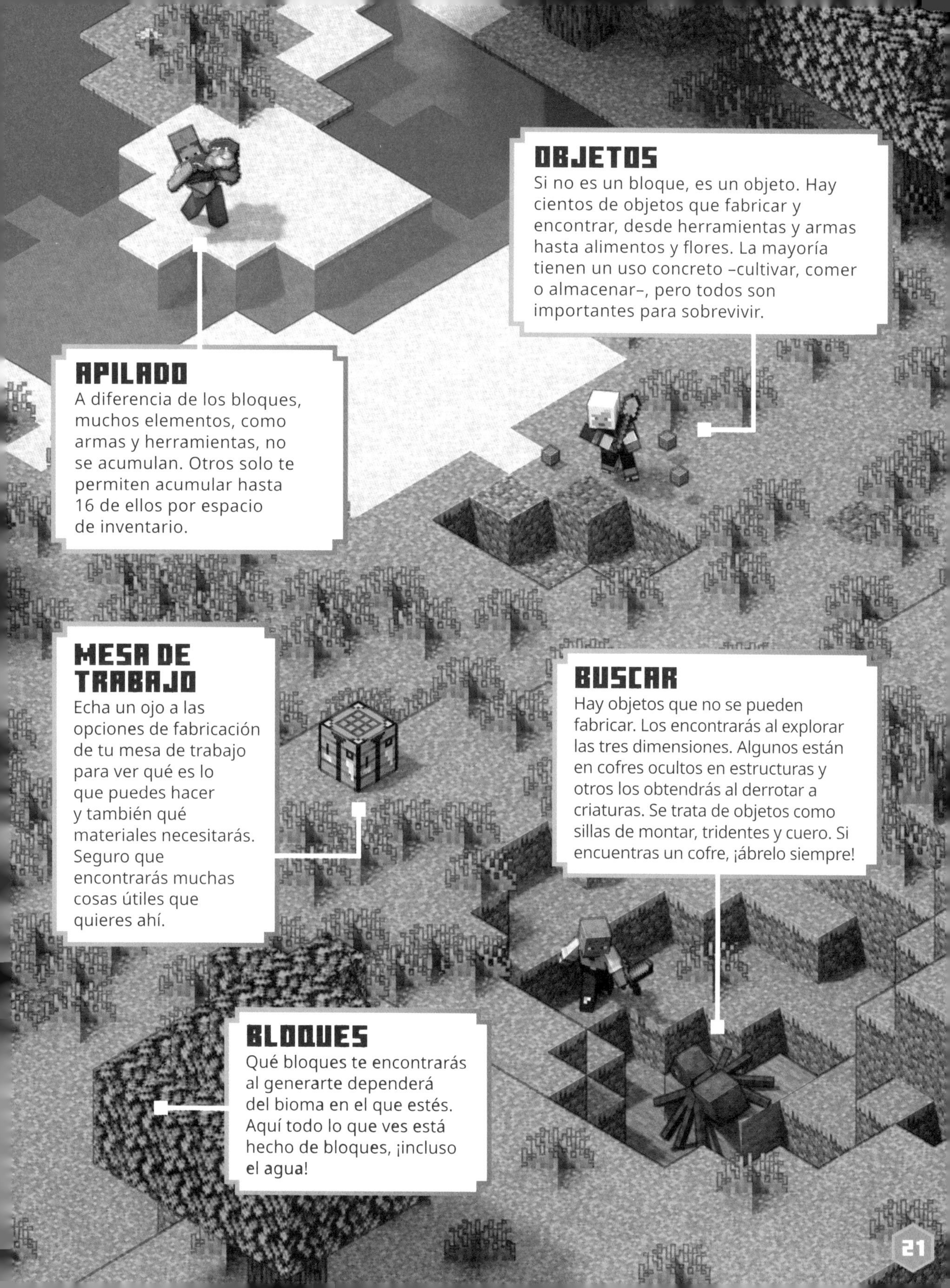

OBJETOS

Si no es un bloque, es un objeto. Hay cientos de objetos que fabricar y encontrar, desde herramientas y armas hasta alimentos y flores. La mayoría tienen un uso concreto –cultivar, comer o almacenar–, pero todos son importantes para sobrevivir.

APILADO

A diferencia de los bloques, muchos elementos, como armas y herramientas, no se acumulan. Otros solo te permiten acumular hasta 16 de ellos por espacio de inventario.

MESA DE TRABAJO

Echa un ojo a las opciones de fabricación de tu mesa de trabajo para ver qué es lo que puedes hacer y también qué materiales necesitarás. Seguro que encontrarás muchas cosas útiles que quieres ahí.

BUSCAR

Hay objetos que no se pueden fabricar. Los encontrarás al explorar las tres dimensiones. Algunos están en cofres ocultos en estructuras y otros los obtendrás al derrotar a criaturas. Se trata de objetos como sillas de montar, tridentes y cuero. Si encuentras un cofre, ¡ábrelo siempre!

BLOQUES

Qué bloques te encontrarás al generarte dependerá del bioma en el que estés. Aquí todo lo que ves está hecho de bloques, ¡incluso el agua!

MODO SUPERVIVENCIA

Este modo, lleno de aventuras, peligros y recompensas, es el que la mayoría de la gente asocia con Minecraft. Tendrás que seguir una historia concreta y podrás dirigir el juego a tu gusto. No te sorprenderá saber que la mayoría de los jugadores empieza en este modo.

¿QUÉ ES?

Es un modo de juego de Minecraft en el que debes mantenerte con vida tanto tiempo como puedas, recogiendo alimentos, recursos para construir y armas para defenderte de criaturas hostiles. Puede parecer difícil sobrevivir, casi imposible, pero es una forma de lo más entretenida de jugar.

¿POR QUÉ ELEGIR ESTE MODO?

PELIGRO

¡Es el encanto del modo Supervivencia! Tanto si has construido una base a prueba de criaturas o juntado armas y armaduras suficientes, ¡derrotar a criaturas es de lo más divertido!

DESAFÍO

Seguir vivo en este modo es todo un reto. No solo deberás evitar que te maten las criaturas, tendrás que cuidar de las necesidades básicas de tu personaje: alimentación y salud.

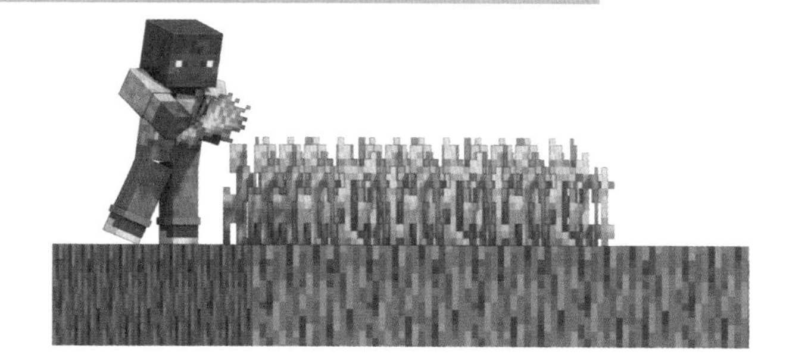

AVENTURA

Explorar el Mundo superior y otras dimensiones es más divertido con un inventario vacío por llenar con todas las cosas interesantes que encuentres.

DESCUBRIMIENTO

Hay tanto que descubrir en este modo..., desde aprender a cultivar y a comerciar con aldeanos hasta encantar objetos y derrotar al Dragón de Ender...

HISTORIA

En este modo hay tantas historias como jugadores. ¿Quieres ser un intrépido explorador? ¿El alcalde de un pueblo? ¿O prefieres fundar un imperio minero? ¿Por qué no? ¡Las posibilidades son infinitas!

PRIMER DÍA

Te has generado en un bioma cualquiera y andas algo perdido... No hay tiempo que perder, en unos diez minutos se hará de noche y las criaturas hostiles saldrán a jugar. Suerte que yo, tu amiga Su P. Vivencia, estoy aquí para ayudarte a superar tu primera noche.

RECOGE MADERA

Para recoger madera sin herramientas, golpea los árboles con las manos (no te preocupes, ¡no duele!). Busca un árbol cualquiera y atízalo sin piedad para recoger los bloques de madera que caigan. Luego guárdalos como tablones en tu inventario.

HAZ UNA MESA DE TRABAJO

Antes de tener una, tendrás solo 4 cuadrículas para fabricación, lo que limita qué puedes hacer. Por suerte, te bastarán para fabricar una mesa de trabajo, que te dará 9 ranuras.

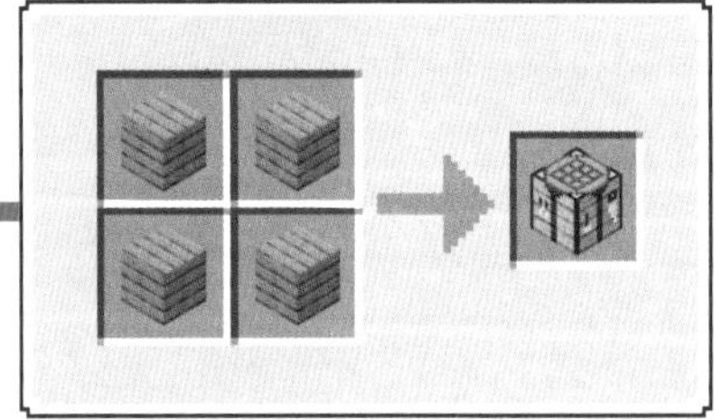

HAZ UNA ESPADA

En cuanto tengas una mesa de trabajo, si te queda madera suficiente puedes fabricar tu primera espada. No cabe duda de que no será la espada más resistente del mundo, pero te ayudará a defenderte por la noche o a recoger carne para comer. Pensándolo bien, ¡mejor hazte dos!

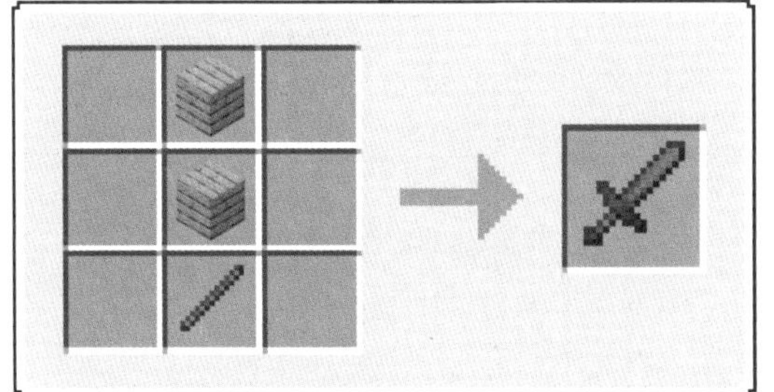

HAZ UN PICO

Si te queda madera después de fabricarte una espada, no sería mala idea hacerte un pico... ¡o dos o tres! Los picos de madera son endebles y no durarán mucho, ¡pero peor es recoger piedra con las manos! Querrás uno para los días venideros.

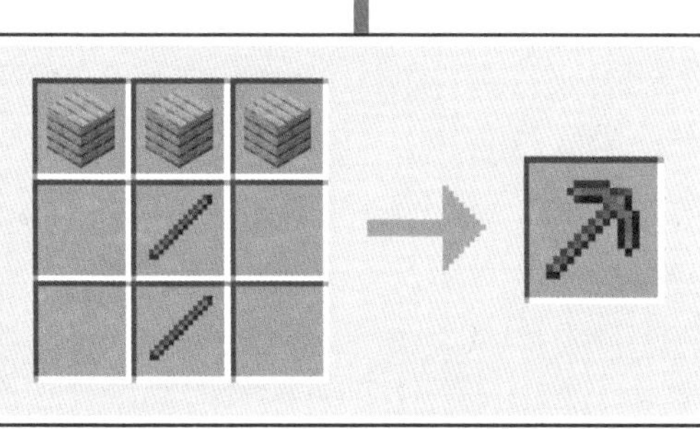

PRIMER DÍA

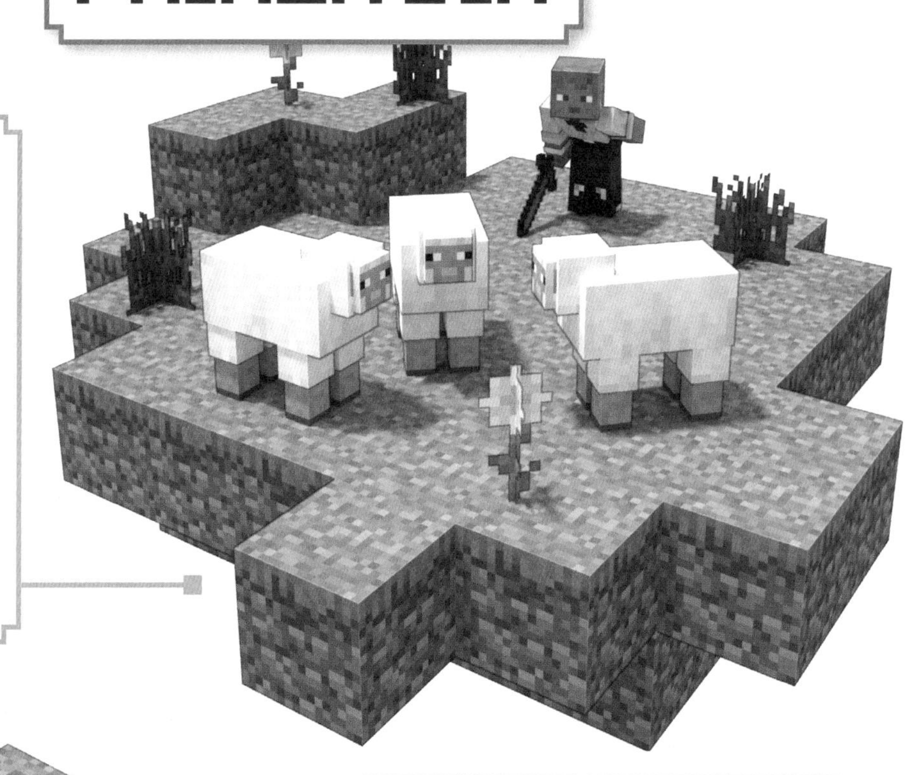

ENCUENTRA UNA OVEJA

Cruzarte con una oveja el primer día depende de dos cosas: el bioma en el que estés... y la suerte. Pero a largo plazo necesitarás lana para una cama y cordero para tu barriga. Sigue sus balidos hasta encontrar un grupo de al menos tres ovejas.

HAZTE LA CAMA

Si has tenido la suerte de encontrar tres ovejas del mismo color en tu primer día, ¡felicidades! Hazte una cama con la madera y la lana en la mesa de trabajo. En la cama tendrás un nuevo punto de regeneración, y al caer la noche –siempre que no estés rodeado de criaturas hostiles– podrás dormir a pierna suelta.

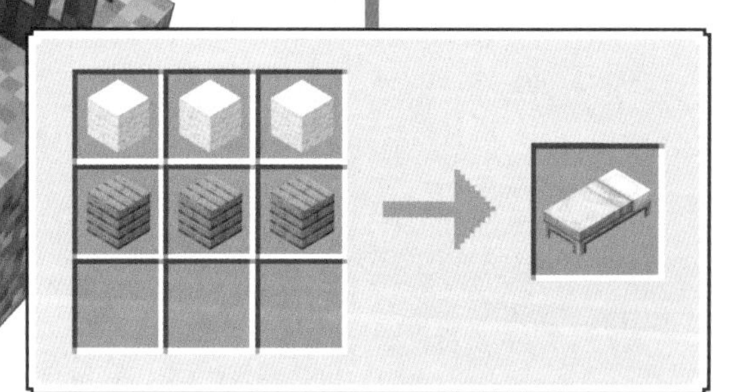

¡A COMER!

Las criaturas hostiles no son lo único que puede derrotarte en Supervivencia: ¡también el hambre! Vigila la barra de hambre y hazte con comida suficiente para estar en plena forma. El bioma en el que te generes determinará los alimentos disponibles. Para saber más, ve a la pág. 46.

VISITA UN PUEBLO

Si te tropiezas con un pueblo en tu primer día, ¡genial! Acabas de encontrar un atajo para sobrevivir al principio del juego. Los pueblos están llenos de recursos. Lo primero, encuentra la cama de un aldeano para marcar tu punto de regeneración, y luego llena tu inventario con lo que encuentres en sus cofres y sus huertos. No harás muchos amigos, pero ¡lo primero es lo primero!

SOBREVIVE A TU PRIMERA NOCHE

Se pone el sol y llega tu primer reto: la noche. Todas las criaturas hostiles salen a jugar... e irán a por ti. Si has tenido la suerte de encontrar un pueblo o una cama para pasar la noche, sáltate esta parte. Si no, escucha bien a Su.

HUIR

Encontrar un escondite es la mejor manera de garantizar que verás un nuevo día. Aquí tienes algunas opciones para elegir bien el sitio. No olvides mantenerte siempre a 3 bloques de cualquier creeper, ¡no te vaya a explotar en las narices!

EXCAVA UNA CUEVA

Si estás rodeado de cuevas, meterte bajo tierra será la mejor solución. Búscate un hoyo y recoge piedra o tierra suficiente para encerrarte. Deja un agujero en la pared para ver cuándo sale el sol. Pero bloquéalo si un esqueleto empieza a dispararte.

CAVA UN HOYO

¿No ves más que terreno llano a tu alrededor? ¿A qué esperas? Cava un agujero para pasar la noche y ciégalo. Estarás a oscuras y será un poco rollo, ¡pero las criaturas no te encontrarán! Retira de vez en cuando un bloque del techo para ver si ha salido el sol, ¡y vuelve a ponerlo enseguida!

SÚBETE A UN ÁRBOL

¿Te encuentras rodeado de árboles? Podrías encaramarte a uno en lo alto de una colina y evitar la posibilidad de que las criaturas te sigan. O, si te da tiempo, construir una escalera hasta la copa y esconderte. No olvides quitar la escalera para que nadie pueda seguirte. Podrás pasarte la noche contemplando el cielo nocturno o descansando entre las hojas.

CONSTRUYE UNA BASE

¿Te has pasado el primer día recogiendo bloques? ¡Aprovéchalos! Construye una base tan rápido como puedas. ¿De madera? ¡Estupendo! ¿Se te echa el tiempo encima? ¡Pues hazla de tierra!

CONSTRUYE UN BARCO

Si estás cerca del mar, pasar la noche a bordo de un barco es una manera de sobrevivir. Necesitas fabricar una pala de madera y tener tablones suficientes para hacer un barco. Échalo al agua y rema lejos de la orilla. Eso sí, no te detengas; bajo el agua también hay peligros.

¡CORRE!

A veces correr es la única opción para escapar de criaturas como esqueletos, creepers, arañas y zombis. Mientras veas hacia dónde vas –lo que no siempre está garantizado–, tal vez puedas lograrlo –¡lo que tampoco está garantizado!–.

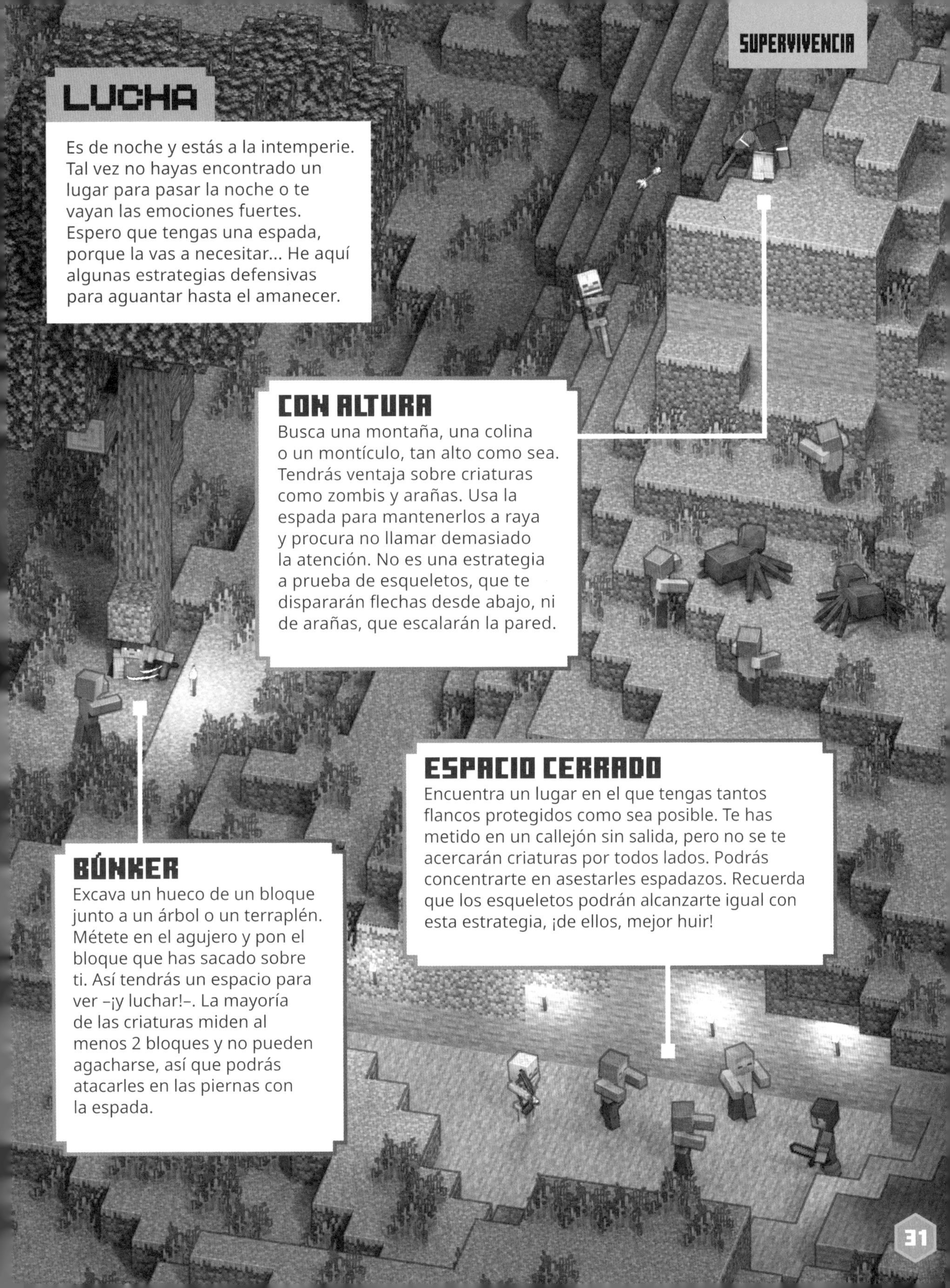

LUCHA

Es de noche y estás a la intemperie. Tal vez no hayas encontrado un lugar para pasar la noche o te vayan las emociones fuertes. Espero que tengas una espada, porque la vas a necesitar... He aquí algunas estrategias defensivas para aguantar hasta el amanecer.

CON ALTURA

Busca una montaña, una colina o un montículo, tan alto como sea. Tendrás ventaja sobre criaturas como zombis y arañas. Usa la espada para mantenerlos a raya y procura no llamar demasiado la atención. No es una estrategia a prueba de esqueletos, que te dispararán flechas desde abajo, ni de arañas, que escalarán la pared.

ESPACIO CERRADO

Encuentra un lugar en el que tengas tantos flancos protegidos como sea posible. Te has metido en un callejón sin salida, pero no se te acercarán criaturas por todos lados. Podrás concentrarte en asestarles espadazos. Recuerda que los esqueletos podrán alcanzarte igual con esta estrategia, ¡de ellos, mejor huir!

BÚNKER

Excava un hueco de un bloque junto a un árbol o un terraplén. Métete en el agujero y pon el bloque que has sacado sobre ti. Así tendrás un espacio para ver –¡y luchar!–. La mayoría de las criaturas miden al menos 2 bloques y no pueden agacharse, así que podrás atacarles en las piernas con la espada.

LA MEJOR HERRAMIENTA

¡Zas! ¡Pum! ¡Clang! Pensarás: «Oh, Yago Yelmo, ¡qué herramientas más chulas tienes!». Y con razón, ¡porque tengo un montón! En Minecraft, las herramientas y las armas son imprescindibles, tanto si vas a vivir una aventura en la mina, a enfrentarte a criaturas hostiles o a construir una granja.

HERRAMIENTAS

PICO La herramienta más icónica de Minecraft, imprescindible en cualquier aventura. Seguramente será la que más uses en tus viajes, y sirve para minar piedras, minerales y metales.

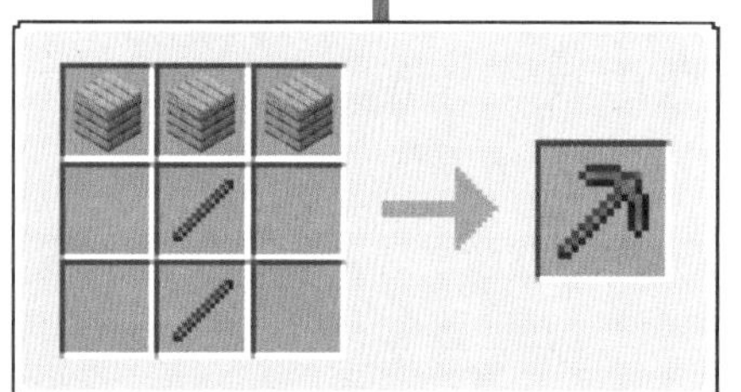

HACHA Se utiliza sobre todo para recoger bloques de madera. Con ella, talar árboles será pan comido y, si te encuentras desarmado, te servirá para defenderte.

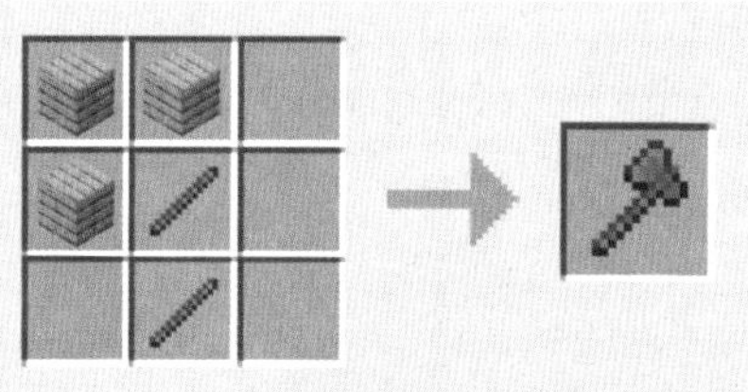

PALA Sirve para excavar arena, tierra y otros bloques blandos. También, para hacer caminos con bloques de tierra, apagar fogatas y fabricar barcos.

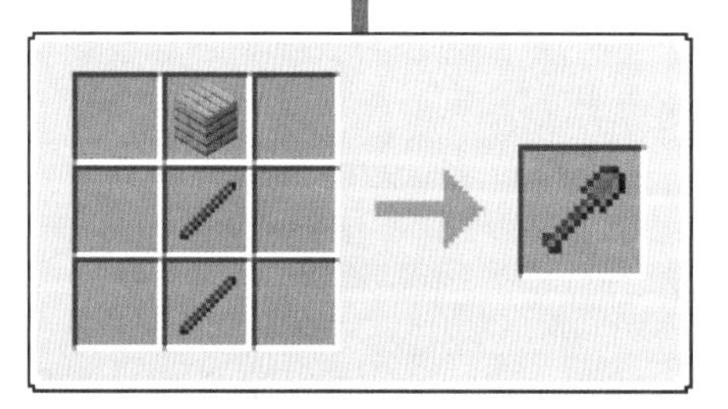

AZADA Se usa para convertir bloques de tierra y hierba en terreno cultivable, y luego para segar tus cosechas. ¡La herramienta ideal para agricultores!

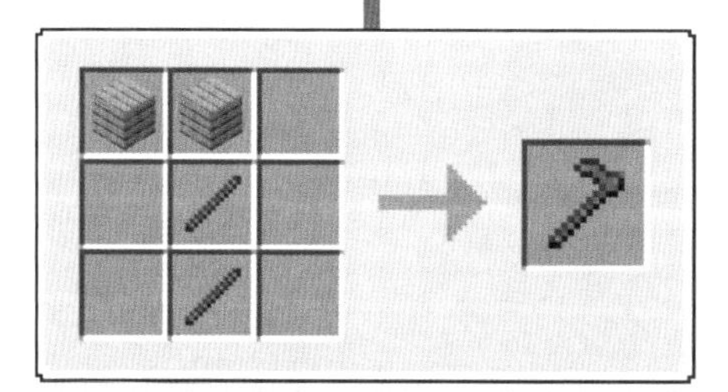

TIJERAS ¿Quieres lana sin derrotar a una oveja? Usa unas tijeras para esquilarlas. También son útiles para otras cosas, como para abrirte camino entre telarañas o recoger semillas.

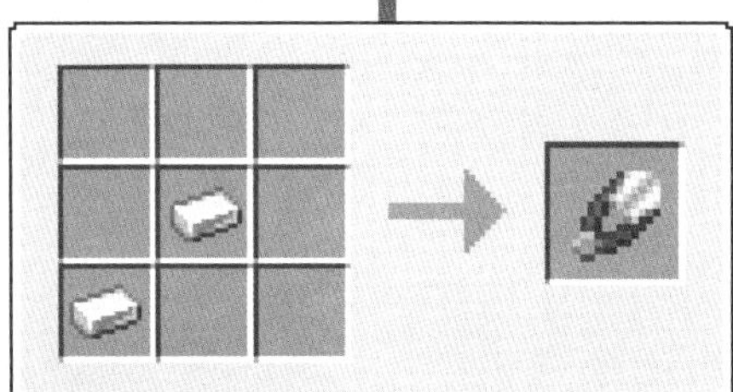

CHISQUERO DE PEDERNAL Te vendrá genial para encender una hoguera o una vela, activar un Portal del Inframundo o prender un bloque de TNT.

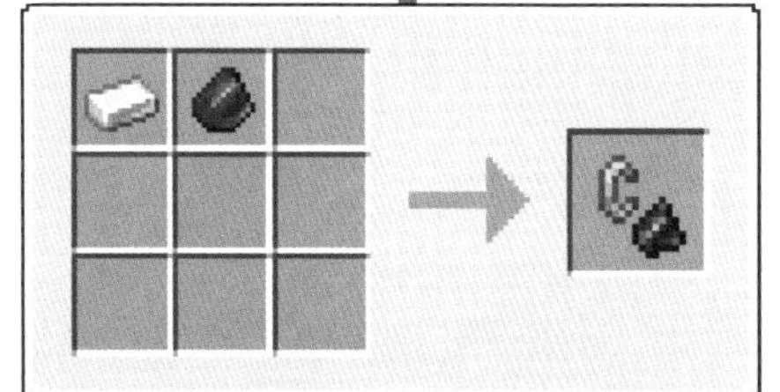

LAS ARMAS

ESPADA Una herramienta perfecta: tenla siempre a mano para mantener a raya a criaturas hostiles y obtener carne. También sirve para obtener algunos recursos como telarañas y bambú.

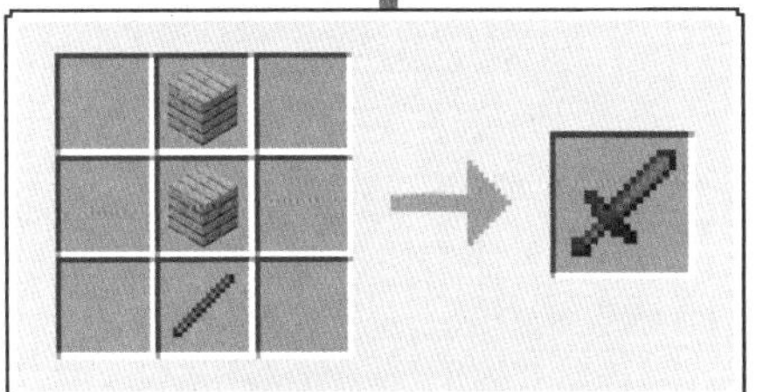

ARCO ¿Quieres que los esqueletos prueben su propia medicina? Hazte un arco. Necesitarás algo de práctica, ¡pero aprender a atacar a distancia vale la pena!

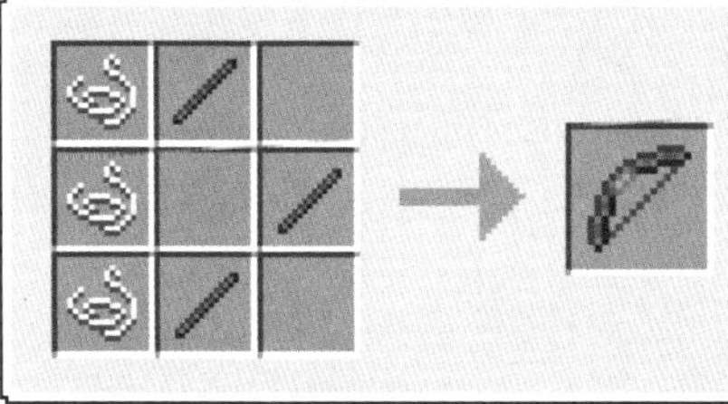

BALLESTA Otra arma estupenda para ataques a distancia. Tendrás que extenderla del todo antes de disparar, pero puedes guardarla cargada en el inventario.

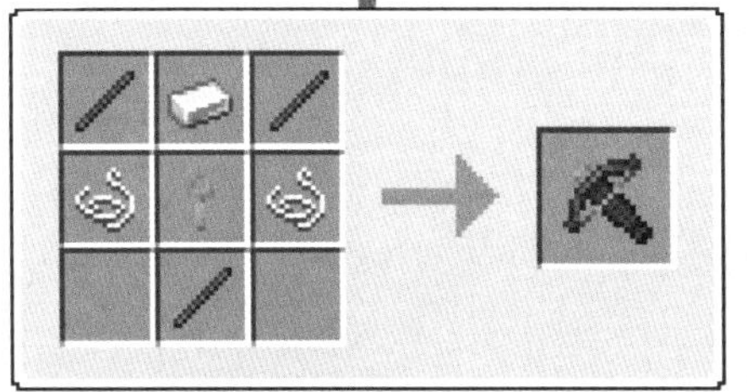

FLECHAS Tu arco y ballesta no te valdrán de mucho sin flechas. Hay distintas maneras de obtenerlas y también puedes fabricarlas tú.

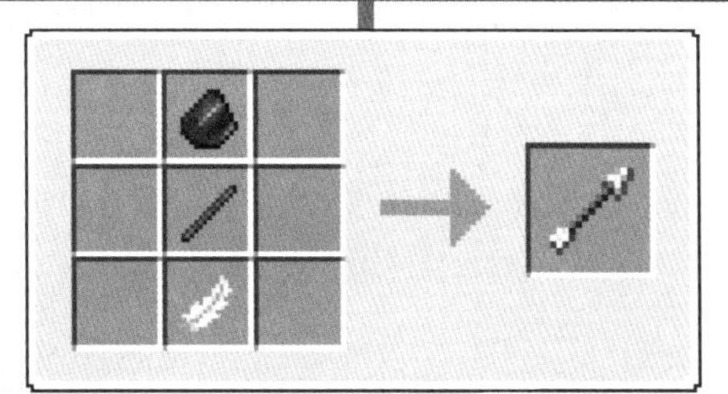

VAYA, TE HAS MUERTO

¡Tarde o temprano iba a pasar! Hasta a mí, Shirley Holmes, me pillan desprevenida de vez en cuando. Derrotado por criaturas, caer desde muy alto, ahogarse, morirse de hambre..., hay mil maneras de morir en Minecraft. Sea como fuere, el resultado es siempre el mismo. ¡Yo te lo cuento!

¿QUÉ PASA CUANDO TE MUERES?

REGENERACIÓN

Al morir, reaparecerás en tu último punto de regeneración, ya sea tu punto original o la última cama que eligieras como ancla de regeneración. Si la cama ha cambiado de sitio o ha sido destruida, volverás a tu primer punto de regeneración.

¡TE HAS MUERTO!

Steve fue disparado por Esqueleto

Regeneración

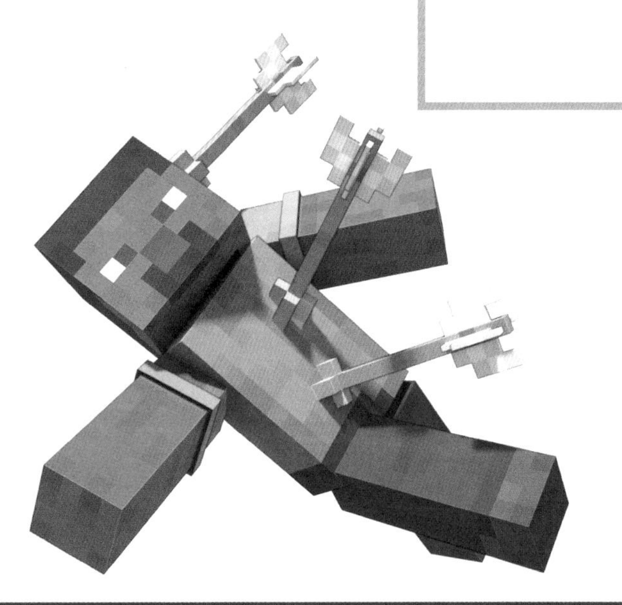

INVENTARIO

Siempre igual: cuando por fin tienes todo lo que necesitas en el inventario, vas y te mueres. De repente, te quedas con el inventario vacío, pero tengo buenas noticias: tus cosas estarán esparcidas por el lugar de tu muerte. Ojo: si tardas más de cinco minutos en recogerlas, desaparecerán para siempre. Ea, ea, no llores, pronto conseguirás otras nuevas.

¿CÓMO ME LO PONGO MÁS FÁCIL A LA PRÓXIMA?

ANCLAS DE REGENERACIÓN

Si tienes sed de aventuras y quieres perderte por el Mundo superior, lo último que quieres es regenerarte siempre en el mismo sitio. Si colocas una cama y haces clic para usarla, crearás una nueva ancla de regeneración, y puedes poner tantas como quieras. Antes de emprender un largo camino, llévate una cama. Así, cuando anochezca o las cosas pinten mal, colócala y marca tu punto de regeneración.

ALDEAS

Otra opción es buscar aldeas en tu camino y colocar anclas de regeneración en las camas de los aldeanos. Dar con aldeas no es fácil, pero en ellas encontrarás muchos objetos útiles para tu viaje.

COFRES

La mejor manera de no perder tus asombrosos enseres es guardarlos en cofres. Así, por mucho tiempo que pases lejos de tu cofre, tus cosas te estarán siempre esperando cuando vuelvas.

COFRES VIAJEROS

Si estás planeando un viaje largo, no puedes construirte una base cada noche; ¡no llegarías a ningún sitio! La buena noticia es que si encuentras un burro, una mula o una llama que te los cargue, puedes llevar tus cofres contigo. También puedes añadir cofres a los barcos para navegar con ellos. *Bon voyage!*

¿QUIÉN HA SIDO?

Si has muerto, es muy probable que una criatura hostil fuera la culpable. Nadie sabe por qué son hostiles, pero sí sabemos que, si te acercas demasiado, irán a por ti hagas lo que hagas. ¿No te paraste a leer la pantalla de regeneración? ¡No pasa nada! Te ayudaré a descubrir qué criatura te ha vencido.

3 BLOQUES

2.5 BLOQUES

2 BLOQUES

1.5 BLOQUES

1 BLOQUE

0.5 BLOQUE

CREEPER

Antes de morir, ¿oíste un siseo y luego una explosión? En ese caso, te derrotó un creeper. No te fustigues, es una criatura muy escurridiza. Apenas un susurro te advertirá de su presencia segundos antes de que... ¡BOOM!

¿NO ES EL SOSPECHOSO?

Vale, pero no te despistes. Los creepers no desaparecen de día, como otras criaturas, y tendrás que estar siempre alerta. La mejor forma de vencerlos es con un arma a distancia. Si logras derrotarlo antes de que explote, se te recompensará con pólvora, que puedes usar para crear TNT explosivo.

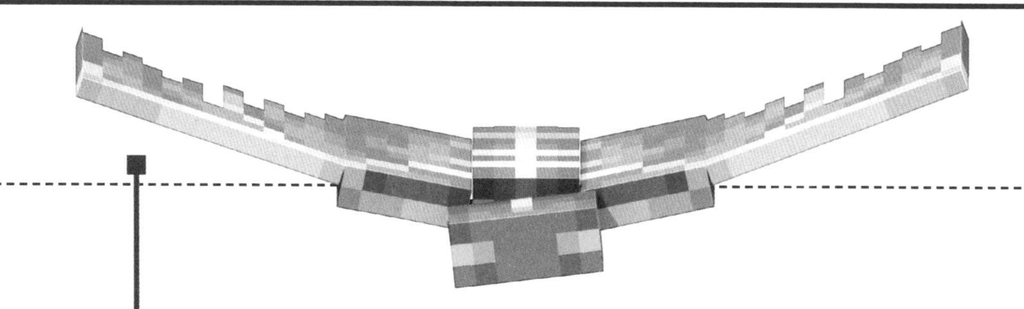

FANTASMA

¿Te costó más de tres días encontrar una cama o el material necesario para hacer una? ¿Te atacó una criatura azul desde el cielo? Tu instinto de supervivencia no ha estado a la altura... Te ha derrotado un fantasma.

¿NO ES EL SOSPECHOSO?

Incluso si has conseguido evitar al fantasma, mejor no llegues a enfrentarte a él; ¡no sobrevivirás! Hay una forma muy fácil de esquivar su ataque: durmiendo. Los fantasmas solo atacan si llevas tres días seguidos sin dormir ni morir. Otra forma de evitarlos es con un gato de mascota; ¡los fantasmas los odian!

ARAÑA

¿Paseabas tranquilamente con una araña muy maja y, de repente, se ha puesto a saltar como loca y a atacarte? ¿Ha pasado a la vez que se ponía el sol? ¿Qué hacías al aire libre? ¡Las arañas se vuelven hostiles de noche!

¿NO ES EL SOSPECHOSO?

A la luz del sol, las arañas son encantadoras, pero si te cruzas con una en un bosque sombrío, una cueva o de noche, ¡corre! Refúgiate en alto para atacarla desde arriba. Si derrotas a una, soltará algo de cordel, que te servirá para hacer un arco con unos palos. ¡Muy útil para futuros encuentros con criaturas!

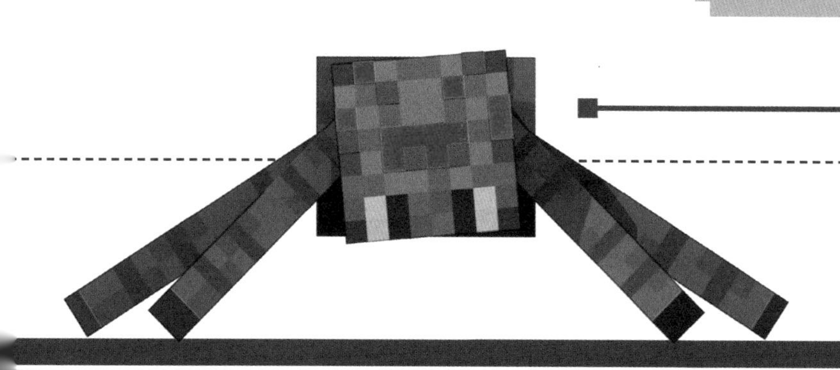

4 BLOQUES

3.5 BLOQUES

3 BLOQUES

2.5 BLOQUES

2 BLOQUES

1.5 BLOQUE

1 BLOQUE

0.5 BLOQUE

ENDERMAN

¿Has visto a una criatura negra de largas piernas? ¿La has mirado a los ojos? ¿Y entonces ha abierto la boca llena de dientes y ha corrido o se ha teletransportado hacia ti? ¿Qué esperabas, al mirarla así? ¡Has provocado a un Enderman!

¿NO ES EL SOSPECHOSO?

¡Uf! Ahora te guardarás mucho de mirarlo a los ojos si ves a uno. Puedes ponerte un casco de calabaza para que no adviertan tu mirada. ¿Y si es tarde? ¡Ojo, que se teletransportan! Si estás cerca del agua, ¡corre a meterte! Odian el agua, ¡hasta puedes arrojarles un cubo! Si no hay otra opción, ponte contra una pared y defiéndete.

ESQUELETO

¿Te derrotaron un montón de flechas que no viste venir? ¿Había una figura huesuda entre las sombras? Es probable que te haya vencido un esqueleto. Este mob tiene una excelente puntería. Así que si te quedas quieto mucho tiempo cerca de uno, no tardarás en convertirte en su diana.

¿NO ES EL SOSPECHOSO?

Que hayas esquivado sus flechas esta vez no significa que vayas a hacerlo siempre. Como arde si le da el sol, sobrevive oculto entre las sombras. Se genera en grupo, así que, hasta que no tengas una armadura decente y armas a distancia, ¡CORRE!

BRUJA

¿Quien te atacó parecía un aldeano con verrugas en la nariz, un sombrero puntiagudo y una túnica morada? ¿Te lanzó una Poción de salpicadura que te afectó la salud? Si es así, te presento a la bruja. No seas muy duro contigo mismo, esta es una criatura malvada que dispone de pociones de todo tipo para atacarte y protegerse.

¿NO ES EL SOSPECHOSO?

¡Uf! Te has librado esta vez. Solo se generan en pantanos, pero si a un aldeano lo alcanza un rayo, ¡se convierte en bruja! Lo mejor que puedes hacer es mantenerte alejado para que no te alcance con sus pociones mientras la atacas con armas a distancia.

4 BLOQUES

3.5 BLOQUES

3 BLOQUES

2.5 BLOQUES

2 BLOQUES

1.5 BLOQUE

1 BLOQUE

0.5 BLOQUE

ZOMBI

¿Oíste gruñidos? ¿A continuación apareció una criatura harapienta verde o marrón que alargaba los brazos hacia ti? ¿Y por qué no corriste al oír los gemidos? Los zombis (y su variante del desierto, los pusilánimes) son lentos, pero si te atrapan, son letales. Se generan en grupos de 4.

¿NO ES EL SOSPECHOSO?

Al menos, ahora ya sabes a qué prestar atención. Si oyes un gruñido, más te vale correr en dirección opuesta. Si tienes que luchar, dales con la espada y salta para que no te alcancen con los brazos. Por tentadora que parezca su carne podrida, no te los comas una vez derrotados... ¡a menos que quieras sufrir efecto Hambre!

BEBÉ ZOMBI

Tu atacante parecía un zombi, pero más pequeño y MUCHO más rápido? ¿Iba montado en un pollo? Lo siento de verdad, pero tu muerte era probablemente inevitable desde el momento en que te cruzaste con esta diabólica criatura.

¿NO ES EL SOSPECHOSO?

¡ESCÓNDETE! Los bebés zombis son más difíciles de derrotar que los adultos, y además son más pequeños, por lo que es más difícil apuntarles y derrotarlos. Será difícil dejarlos atrás, así que busca un buen escondite o aléjate cuanto antes.

AHOGADO

¿Te acercaste mucho al agua y te atacó una criatura que claramente no era la encantadora sirena de tus sueños? Te derrotó un ahogado, ¡una variante de zombi subacuática! Te atacarán con las manos si te tienen cerca, pero, si tienes mala suerte, tal vez lleven un tridente, que te lanzarán con una puntería mortal.

¿NO ES EL SOSPECHOSO?

Pues ya estás avisado. Son lentos como los zombis, así que, a menos que te rodeen, tendrás oportunidades de escapar. Si te encuentras con uno que lleve un tridente, algo inusual, intenta derrotarlo para hacerte con esta arma tan especial.

ALDEANO ZOMBI

¿Te derrotó un aldeano de color verde? ¿Sabes lo que les pasa a los aldeanos cuando los atacan zombis? ¡Se convierten en aldeanos zombis! Se comportan como zombis normales, pero pueden ser curados.

¿NO ES EL SOSPECHOSO?

¡Mejor! Lo que te faltaba, que tus simpáticos vecinos se vuelvan contra ti. Lo bueno es que tiene cura: una manzana de oro. Lo malo es que es difícil de encontrar. Primero necesitarás una Poción de debilidad. ¿No tienes una a mano? Escóndete hasta que salga el sol.

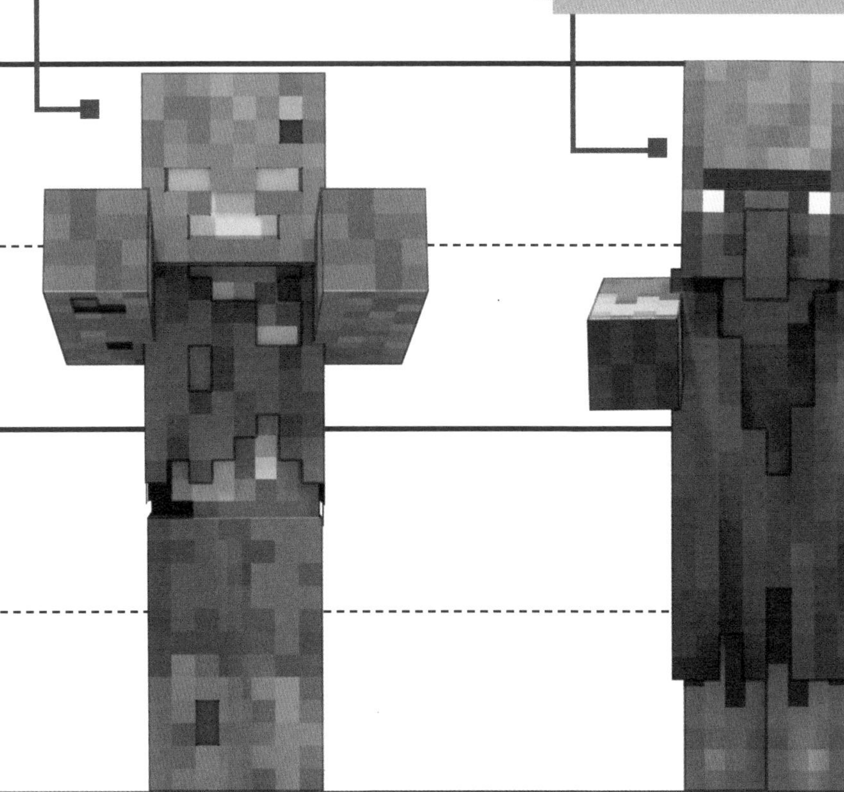

CONSTRUYE TU PRIMERA BASE

¡Buenas! Soy Edu Ficio y te ayudaré a construir tu primera base. Tu aventura apenas empieza, así que tu base debe ser un espacio temporal para refugiarte mientras decides qué hacer y adónde ir. No te preocupes si no es muy bonita y grande, te contaré todo lo que necesitas. ¡Vamos allá!

POR FUERA

No necesitas construirte una base enorme, solo lo suficientemente grande para que quepan los básicos como tu cama, mesa de trabajo y horno. 7×7 bloques está bien para empezar. Elije el lugar que quieras, aunque te recomiendo un terreno elevado para que veas acercarse a criaturas hostiles.

¿QUÉ BLOQUES?

Lo ideal sería construir la base con un material resistente como el adoquín, pero ¡te apañarás con madera y tierra!

ANTORCHAS

Fabrica antorchas y colócalas alrededor para evitar que las criaturas se generen en la puerta.

PAREDES

No te molestes en construir unas paredes altísimas, perderías demasiado tiempo recogiendo materiales. Con 3 bloques basta.

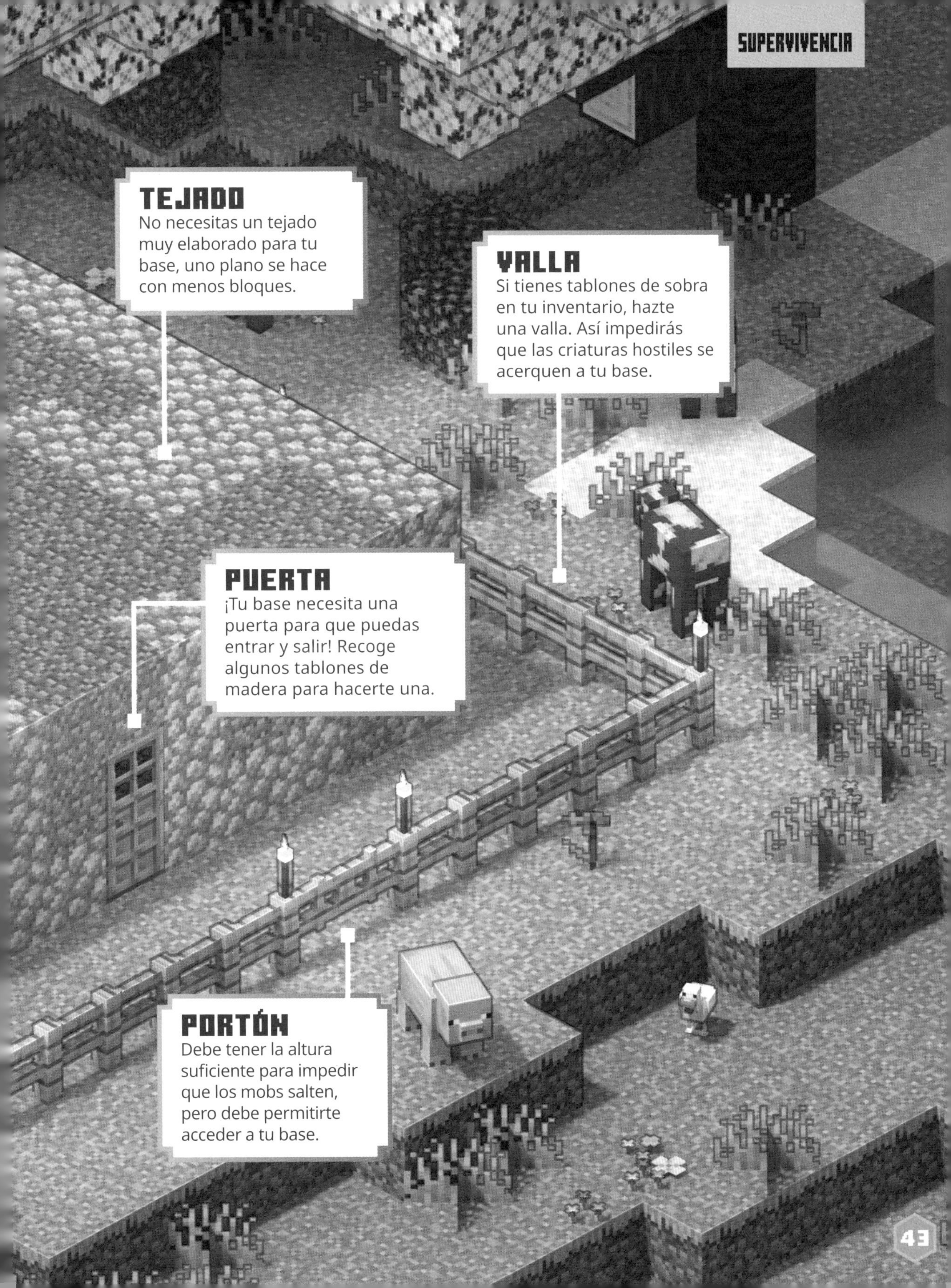

TEJADO
No necesitas un tejado muy elaborado para tu base, uno plano se hace con menos bloques.

VALLA
Si tienes tablones de sobra en tu inventario, hazte una valla. Así impedirás que las criaturas hostiles se acerquen a tu base.

PUERTA
¡Tu base necesita una puerta para que puedas entrar y salir! Recoge algunos tablones de madera para hacerte una.

PORTÓN
Debe tener la altura suficiente para impedir que los mobs salten, pero debe permitirte acceder a tu base.

POR DENTRO

Igual que por fuera, no hace falta que te mates con la decoración. No necesitas alfombras, estanterías o marcos, ¡ya te preocuparás de eso más tarde! Para sobrevivir solo te hará falta lo básico.

COFRE

El lugar ideal para almacenar objetos útiles que no necesites tener a mano, pero no quieras perder. Déjalos a buen recaudo en tu cofre antes de salir.

HORNO

Sirve para muchas cosas, desde hacer carbón para las antorchas hasta cocinar la carne para aumentar su valor nutricional. Necesitas uno sí o sí.

MESA DE TRABAJO

¿Qué harías sin tu mesa? Antes de continuar tu viaje de supervivencia por el Mundo superior, necesitarás fabricar muchas cosas.

CAMA

¿Por qué pasarte la noche escondido en tu base para evitar a criaturas hostiles cuando puedes echarte a dormir y despertar al alba? Una cama es esencial en tu primera base.

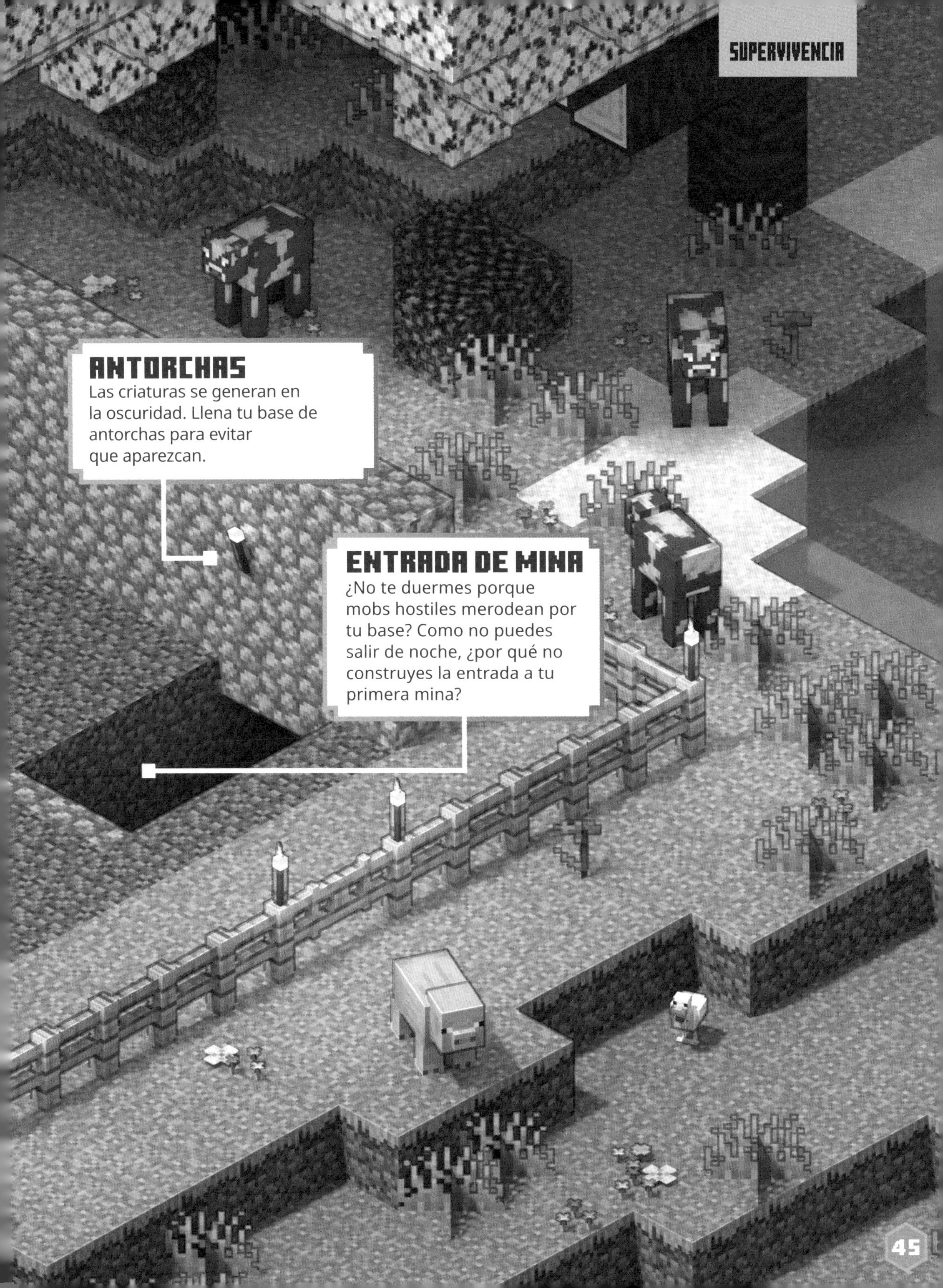

ANTORCHAS

Las criaturas se generan en la oscuridad. Llena tu base de antorchas para evitar que aparezcan.

ENTRADA DE MINA

¿No te duermes porque mobs hostiles merodean por tu base? Como no puedes salir de noche, ¿por qué no construyes la entrada a tu primera mina?

ALIMENTOS, ¿PARA QUÉ OS QUIERO?

¡Me muero de hambre! Claro que he cocinado el po... Ay, espera. ¡Otra vez efecto Hambre, no, por favor! Soy Baldomero el Cocinero, encantado. En modo Supervivencia, si quieres subsistir, necesitas mantener tu barra de hambre llena..., pero ándate con ojo con lo que comes.

¿QUÉ PASA SI NO COMES?

Primero se agota tu barra de hambre, lo que a su vez vacía tu barra de salud. Entonces tu avatar se ralentiza hasta que te mueres de hambre. Resumiendo: ¡mantén llena la barra de hambre!

¿SON IGUALES TODOS LOS ALIMENTOS?

¡No! Cada uno tiene un valor de saturación que determina a qué ritmo se vacía la barra de hambre. Por ejemplo, el de la carne cocinada es más alto que el de la cruda, así que podrás comer con menos frecuencia si la cocinas.

¿DE QUÉ MÁS SIRVE LA COMIDA?

Algunos alimentos sirven para criar. Si das trigo a dos ovejas, ¡tendrán un corderito! Otros alimentos son ingredientes para pociones, y también puedes usarlos para comerciar con aldeanos –como granjeros o carniceros– a cambio de objetos.

¿HAY ALIMENTOS MALOS?

¡Sí! La carne podrida (tampoco apetece, ¿no?), las patatas venenosas, el pez globo, el pollo crudo y los ojos de araña te causarán efectos como Hambre, que aumenta la velocidad a la que se agota la barra de hambre. Técnicamente son comestibles, pero ¡evítalos!

DÓNDE CONSEGUIR COMIDA

Si la comida es tan esencial, ¿dónde se consigue? Depende del bioma. Si tienes la suerte de generarte en un bioma boscoso, como la jungla, no te será difícil encontrar comida, pero en un bioma nevado o desierto, te costará un poco más. Veamos algunos lugares donde buscar alimento.

PUEBLOS

Son el mejor lugar para encontrar comida en cualquier bioma. Los cofres de aldeanos contienen casi siempre alimentos. En las granjas, además, hay semillas para empezar un huerto (pasa a la página 50).

ESTRUCTURAS GENERADAS

Las mansiones de bosque, por ejemplo, son una cornucopia de objetos interesantes, ¡incluyendo alimentos! Pero cuidado: a menudo estas estructuras están protegidas por trampas y criaturas hostiles.

LA CAZA DE CARNE

En el Mundo superior hay muchos animales que al derrotarlos te darán carne que podrás comerte: vacas, ovejas, pollos, cerdos y conejos.

ASILVESTRADO

Algunos alimentos, como melones y calabazas, crecen de forma salvaje en ciertos biomas. Puedes recogerlos para obtener alimento y semillas. ¡No pases por alto estas delicias silvestres!

¿CÓMO COMO?

Claro que no sirve de nada reunir comida si luego no sabes qué hacer con ella. Pon el alimento en tu barra activa; verás cómo la barra de hambre se llena lentamente. ¡Pan comido!

CULTIVOS

En el Mundo superior hay mucho por cultivar y recolectar. Si no tienes la suerte de generarte en un bioma donde crecen alimentos en abundancia, te costará un poco más y tendrás que conseguirlos de los aldeanos. ¡A ver qué puedes encontrar!

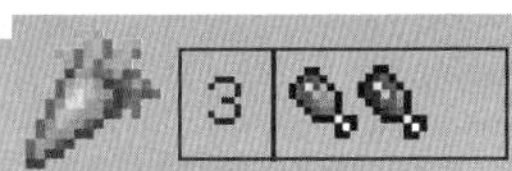

ZANAHORIA

Puedes arriesgarte –ataca un puesto de avanzada de saqueadores o derrota a un zombi, un pusilánime o un aldeano zombi–, o buscarlas en el huerto de un aldeano.

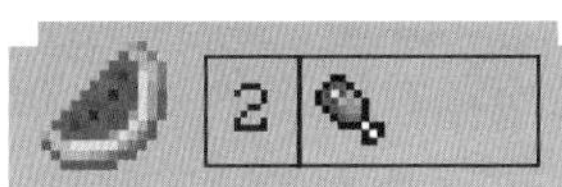

SANDÍA

Si quieres sandía, búscala en biomas de jungla, donde crece en abundancia. Si no, puedes encontrarla en aldeas e incluso en una mansión de bosque.

MANZANA

¿Solo hay robles a tu alrededor y tienes hambre? Atiza las hojas de los robles. Con suerte, ¡igual sueltan una manzana!

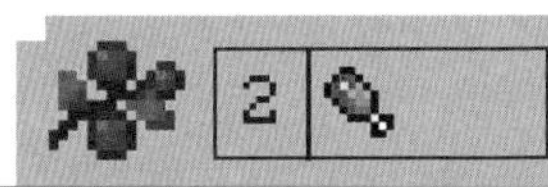

BAYAS DULCES

En una taiga o taiga nevada, tal vez te topes con algunas matas de bayas dulces. Ojo con caminar entre ellas, ¡las matas tienen pinchos!

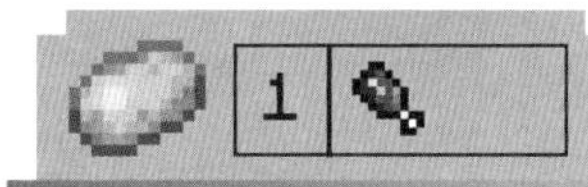

PATATA

Encontrarás patatas donde hay zanahorias, y también en cofres de aldeanos. ¡Pero ojo con las venenosas! La clave está en el nombre.

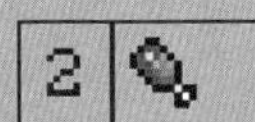

BAYAS RESPLANDECIENTES

Tardarás en encontrarlas; solo crecen en los techos de cuevas frondosas.

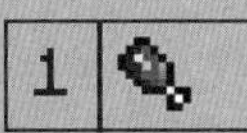

REMOLACHA

Sirve para comer y para hacer tinte rojo. La encontrarás en los huertos de aldeas.

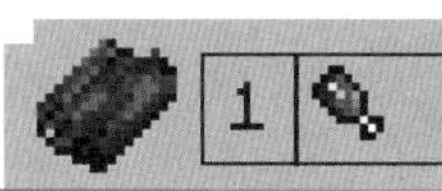

ALGA SECA

Las algas se pueden secar y pueden ser un estupendo aperitivo. Las puedes encontrar bajo el mar.

TRIGO
Sirve para iniciarse en el cultivo, ya que las semillas son fáciles de obtener. Se usa en recetas y para alimentar vacas, ovejas y cabras.

GRANOS DE CACAO
Salen del fruto del cacao en la jungla. Estos granos pueden usarse como ingrediente en galletas y para el tinte marrón.

CHAMPIÑONES
Un ingrediente para un estofado que crece en zonas oscuras, e incluso sobre una criatura llamada champiñaca.

CAÑA DE AZÚCAR
Tendrás que cultivarla para obtener azúcar para dulces; también sirve para hacer papel. Crece junto al agua.

CALABAZA
Crecen en grupos sobre bloques de hierba en la mayoría de los biomas, pero tendrás que hacer una tarta para comértelas.

BAMBÚ
No es comestible. Se encuentra en junglas y sirve tanto de alimento para pandas como de combustible.

CACTUS
Los verás en desiertos y páramos y no se comen, pero sirven para el tinte verde y hacer criar a camellos.

RECETAS

Algunos cultivos, como el trigo y el azúcar, no se pueden comer sin más, solo se consumen en una receta. ¡He aquí algunas!

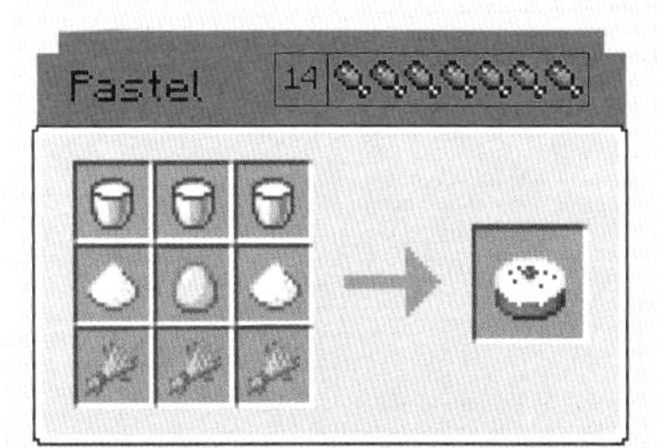

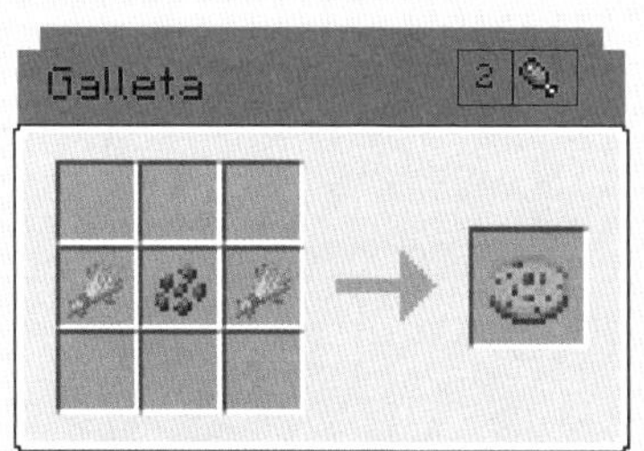

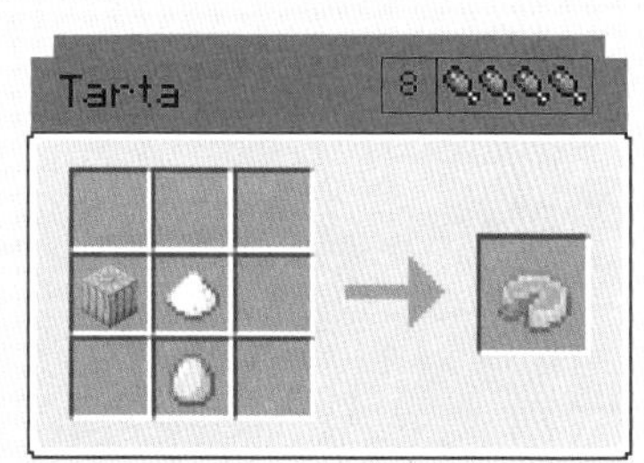

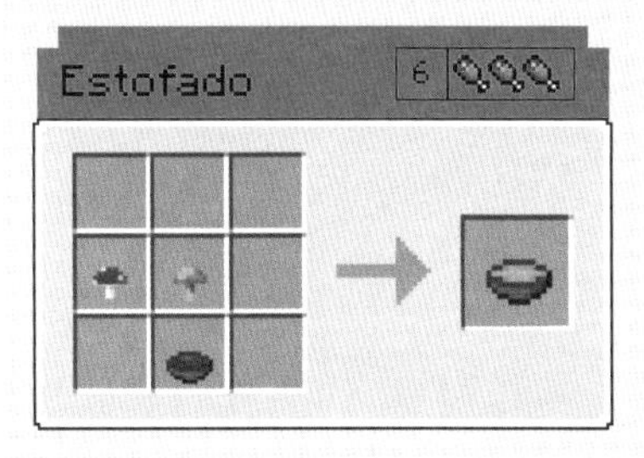

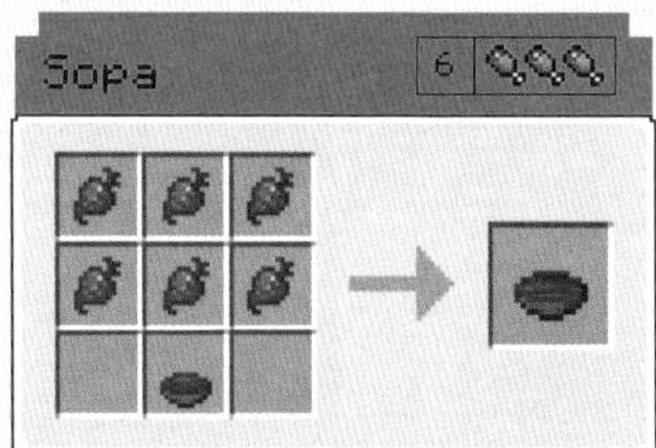

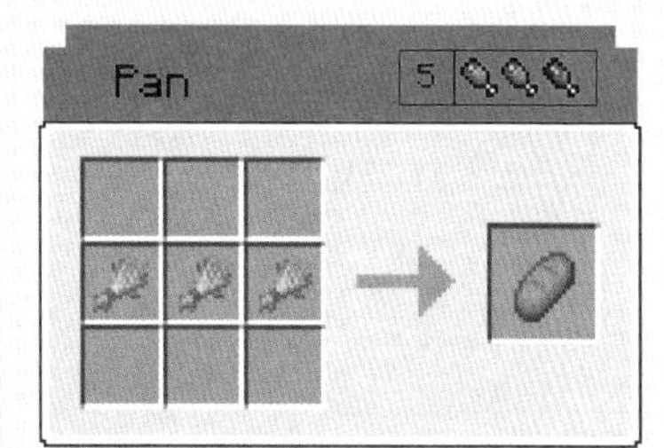

CULTIVAR

Con tu propio huerto, no solo tendrás un suministro de alimentos, sino que podrás comerciar con los aldeanos para obtener otros objetos, como mapas y libros. Antes de empezar, hay algunas cosas que debes saber. ¡Bienvenido a la vida de agricultor!

¿QUÉ PLANTO?

Las semillas de trigo, remolacha, melones y calabazas suelen almacenarse en tu inventario al consumir estos alimentos. Hay otros cultivos que pueden plantarse tal cual, sin semillas, como las zanahorias, las patatas, las bayas dulces y el cacao.

¿DÓNDE PLANTO?

La mayoría de los cultivos necesitan estar a menos de 4 bloques de una fuente de agua. Por suerte, eso no te limita a los ríos; con cubos, podrás crear fuentes de agua donde quieras. Recoge agua con un cubo, cava algunos agujeros alrededor de tu granja y llénalos.

¿QUÉ BLOQUES SIRVEN?

No puedes plantar en cualquier bloque, tiene que ser el correcto. La mayoría de los cultivos –como las zanahorias, las patatas y el trigo– crecen en bloques de granja; créalos usando la azada sobre bloques de tierra. Pero hay cultivos con otras necesidades. La caña de azúcar, por ejemplo, se puede plantar en varios bloques, desde hierba hasta arena.

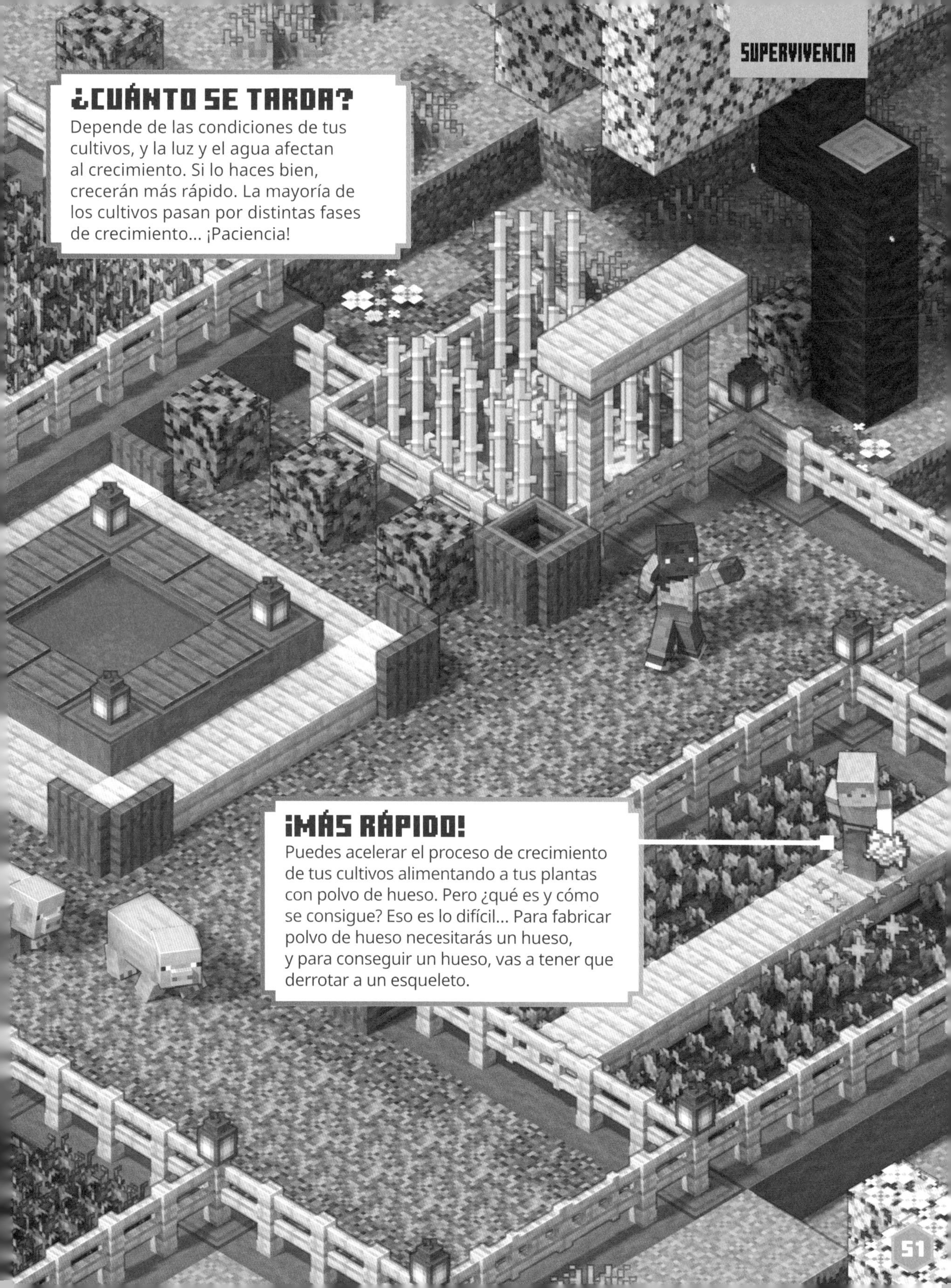

¿CUÁNTO SE TARDA?

Depende de las condiciones de tus cultivos, y la luz y el agua afectan al crecimiento. Si lo haces bien, crecerán más rápido. La mayoría de los cultivos pasan por distintas fases de crecimiento... ¡Paciencia!

¡MÁS RÁPIDO!

Puedes acelerar el proceso de crecimiento de tus cultivos alimentando a tus plantas con polvo de hueso. Pero ¿qué es y cómo se consigue? Eso es lo difícil... Para fabricar polvo de hueso necesitarás un hueso, y para conseguir un hueso, vas a tener que derrotar a un esqueleto.

COCINAR CARNE

En el Mundo superior, si quieres comer carne o pescado, tienes que cazar y cocinar. La mayoría de carnes y pescados pueden comerse crudos, pero ganarás más puntos de hambre si los cocinas. En el caso del pollo, es imprescindible; ¡el pollo crudo puede causarte efecto Hambre!

HORNO

Puedes fabricar uno con casi cualquier bloque de piedra del Mundo superior. Necesitarás combustible, pero te servirá cualquier material inflamable, desde un barco hasta una mesa de trabajo. Podrás cocinar un alimento a la vez mientras dure el combustible.

AHUMADOR

Si conviertes tu horno en un ahumador, cocinarás la carne en la mitad de tiempo, pero no te servirá para nada más (no funde metales). Como el horno, necesita combustible. ¡Echa tus herramientas o armas viejas de madera al ahumador como combustible!

FOGATA

En una fogata, puedes cocinar carne de la forma más lenta... o más rápida, porque, al contrario que el ahumador y el horno, puedes preparar hasta cuatro alimentos a la vez: aunque te lleve más tiempo cocinar uno, ahorras tiempo cocinando cuatro al mismo tiempo. Además no necesita combustible.

¡LOS DATOS!

Las cifras no mienten. Cocinar los alimentos dobla los puntos de hambre que obtendrás de la carne y el pescado. ¡A cocinar se ha dicho!

CRUDOS	PUNTOS	COCINADOS	PUNTOS
Filete crudo	3	Filete cocinado	8
Pollo crudo	2	Pollo cocinado	6
Cordero crudo	2	Cordero cocinado	6
Conejo crudo	3	Conejo cocinado	5
Chuleta de cerdo crudo	3	Chuleta de cerdo	8
Bacalao crudo	2	Bacalao cocinado	5
Salmón crudo	2	Salmón cocinado	6

GANADERÍA

No tienes por qué pasarte el día cazando animales salvajes, ¡puedes criarlos! La clave para tener tu propio rebaño de criaturas es hacerlas criar. Y para eso debes saber qué alimentos las harán ponerse cariñosas... ¡y cómo evitar que luego se larguen! He aquí algunos consejos.

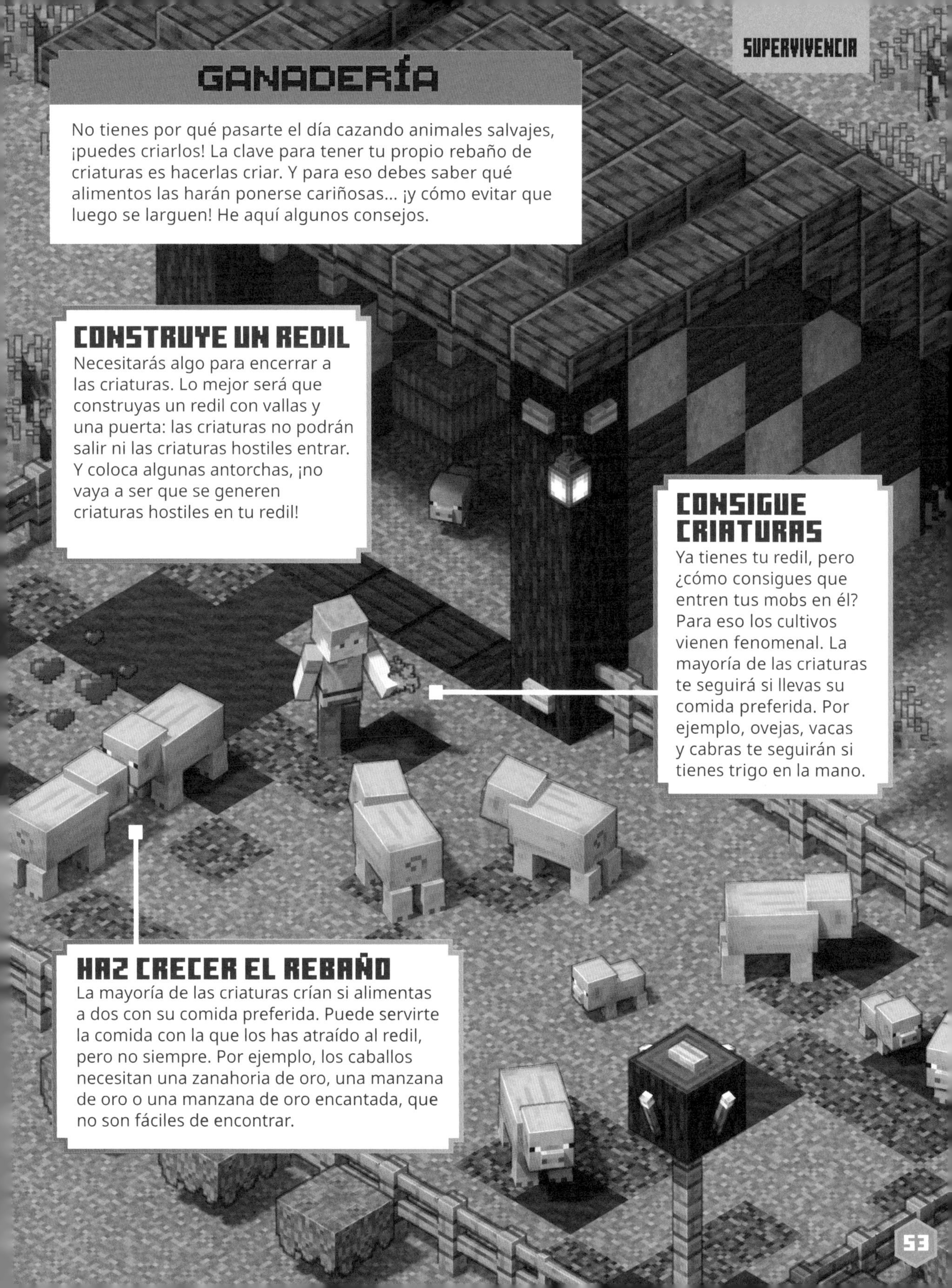

CONSTRUYE UN REDIL

Necesitarás algo para encerrar a las criaturas. Lo mejor será que construyas un redil con vallas y una puerta: las criaturas no podrán salir ni las criaturas hostiles entrar. Y coloca algunas antorchas, ¡no vaya a ser que se generen criaturas hostiles en tu redil!

CONSIGUE CRIATURAS

Ya tienes tu redil, pero ¿cómo consigues que entren tus mobs en él? Para eso los cultivos vienen fenomenal. La mayoría de las criaturas te seguirá si llevas su comida preferida. Por ejemplo, ovejas, vacas y cabras te seguirán si tienes trigo en la mano.

HAZ CRECER EL REBAÑO

La mayoría de las criaturas crían si alimentas a dos con su comida preferida. Puede servirte la comida con la que los has atraído al redil, pero no siempre. Por ejemplo, los caballos necesitan una zanahoria de oro, una manzana de oro o una manzana de oro encantada, que no son fáciles de encontrar.

GANADO

¡Hola! Soy Ali Deana, la traductora de la aldea (me lo invento todo, pero tú ¡chitón!). Hay criaturas del Mundo superior que pueden convertirse en ganado, y son todas pasivas. Los aldeanos han traído sus animales al mercado, ¡veamos qué se ofrece! ¡Yo traduzco!

OVEJA

¡Mira qué ovejas más BEEEE-llas! Además de darte cordero, gracias a esta criatura obtendrás lana, ¡y hasta podrás teñirla del color que quieras! Ahora no tengo ninguna oveja rosa salvaje, pero si tienes mucha suerte, quizá encuentres una.

Cría

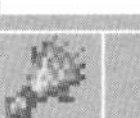

Suelta

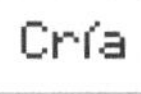

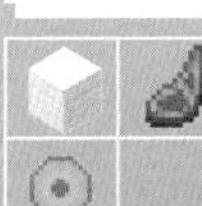

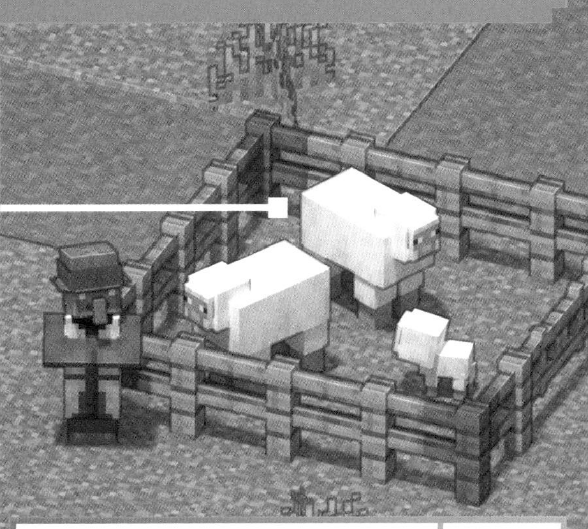

CABRA

¡Cabra a la venta! Carne no da, pero la puedes ordeñar. ¡Te prometo que tus tartas sabrán exactamente igual! A veces embisten, qué le vamos a hacer, ¡pero mira qué barbas tan monas tienen! Tranqui, no es una de esas cabras gritonas..., pero igual engendra una.

Cría

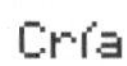

Suelta

CERDO

¡Oinc, oinc! Eso significa «¿Llevas una patata, zanahoria o remolacha?». Los cerdos tienen una dieta variada, son monísimos y dan chuletas, ¡que te llenarán la barra de hambre en un santiamén!

Cría

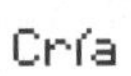

Suelta

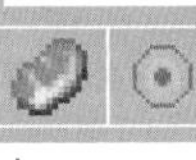

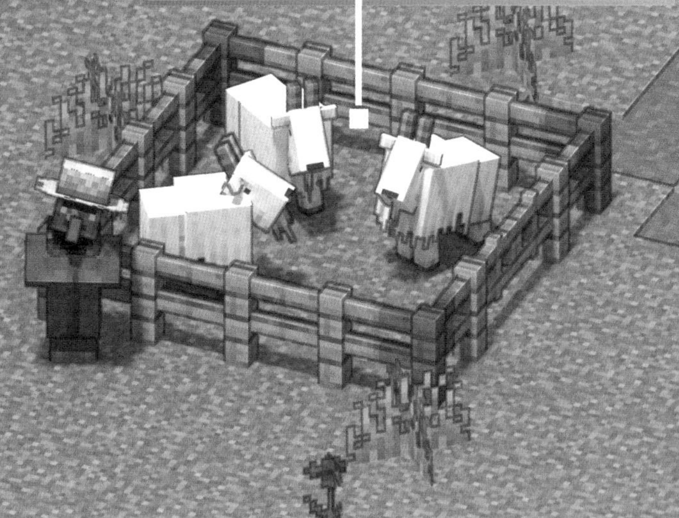

GALLINA

¿Cuál es tu tarta preferida? Con esta criatura cacareante, tendrás huevos de por vida. Sin ellos, ¡no hay pastel! También sueltan plumas, necesarias para fabricar cosas como flechas y plumas para escribir. También te la puedes comer, pero ¡no olvides cocinarla!

Cría

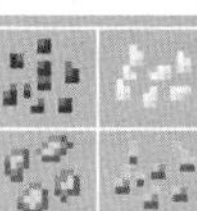

Suelta

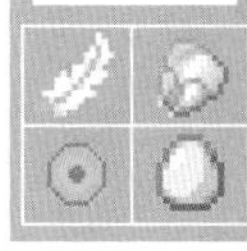

CHAMPIÑACA

¡Ojito con esta criatura! Hay dos tipos de champiñaca: la roja y blanca, más común, y la parda, más rara. La puedes ordeñar como una vaca con un cubo, y si la ordeñas con un cuenco tendrás estofado de setas. Esquílala para obtener setas, pero se convertirá en una vaca normal.

Cría

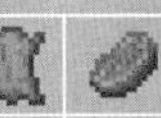

Suelta

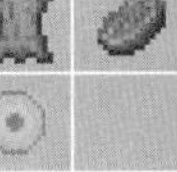

VACA

¡Esta vaca te ayudará MUUUU-cho! Te dará filetes si la derrotas y leche si la ordeñas. La leche es un ingrediente importante en los pasteles, o sea que, si te apetece uno, esta es tu criatura.

Cría

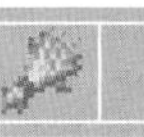

Suelta

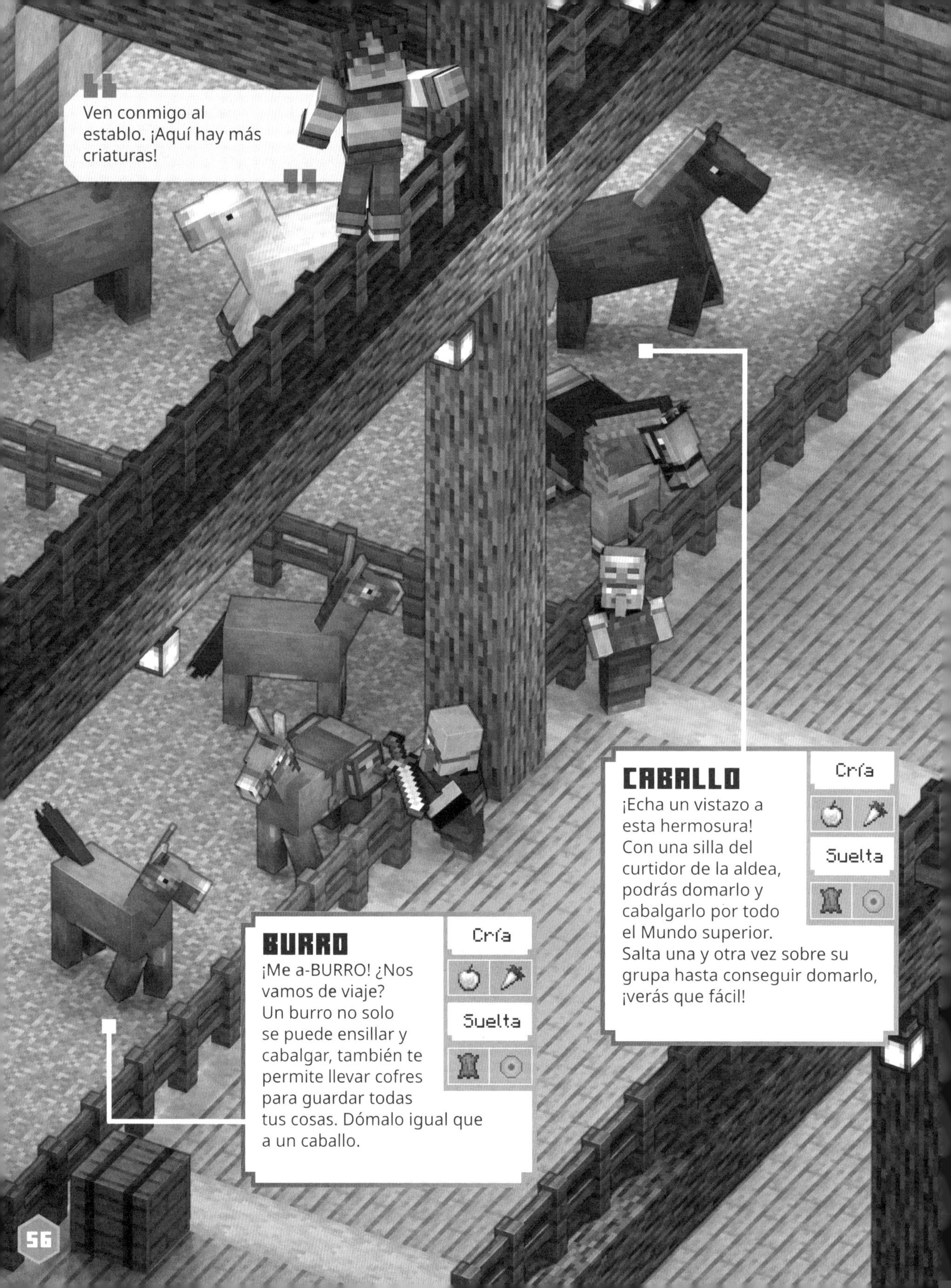
Ven conmigo al establo. ¡Aquí hay más criaturas!
CABALLO
¡Echa un vistazo a esta hermosura! Con una silla del curtidor de la aldea, podrás domarlo y cabalgarlo por todo el Mundo superior. Salta una y otra vez sobre su grupa hasta conseguir domarlo, ¡verás que fácil!
Cría
Suelta
BURRO
¡Me a-BURRO! ¿Nos vamos de viaje? Un burro no solo se puede ensillar y cabalgar, también te permite llevar cofres para guardar todas tus cosas. Dómalo igual que a un caballo.
Cría
Suelta

MULA
Cría
¿Qué obtienes si cruzas un caballo y un burro? ¡Una mula, por supuesto! Mira qué contenta va a cualquier sitio de una correa, puedes llevarla a todas partes. Como los burros, las mulas pueden portar cofres, pero no crían.
LLAMA
Cría
Suelta
¿Qué tal una llama? Estas de aquí solo me obedecen a mí, pero si quieres una... Ay, no, si yo no vendo llamas. Tendrás que buscar la tuya en un bioma de sabana. Son buenas compañeras y solo te escupirán si las atacas primero. Pueden portar tus cosas, ¡y podrás vestirlas con alfombras monísimas!

FAUNA SALVAJE

Me llamo Lía Anta, pero mis amigas me llaman Lili. Te acompañaré a ver la fauna salvaje del Mundo superior. ¡Rápido!, tenemos que terminar antes de que anochezca. Veremos criaturas pasivas amistosas y otras neutrales, que te atacarán si las provocas.

BOSQUE

Te presento a Cati la gata y Alma el allay. Cati espanta a los creepers y los fantasmas... Y me trae regalos por la mañana, ¡aunque no todos buenos! Encontrarás gatos en pueblos y cabañas de pantano. A los allays puedes liberarlos de mansiones de bosque y puestos de avanzada de saqueadores. Vale la pena, porque encuentran objetos para ti: ¡le das uno y trae otros iguales!

LOBO

Es una criatura neutral a la que puedes domar. Dale huesos a un lobo hasta que reciba un collar rojo, y te seguirá y mantendrá alejados a los esqueletos. Cuidado con golpearlo antes de domarlo: ¡si lo provocas, su mordedura no es ninguna broma!

ABEJAS

Ay, abejitas, los mobs más modestos. Son una fuente de panal, que sirve para encerar cobre, además de para hacer velas y colmenas, y miel: guárdala en botellas de cristal y bébela para librarte del efecto Veneno. Enciende una fogata a un máximo de 5 bloques de su colmena, ¡si no quieres que te persiga un enjambre de abejas furiosas!

DESIERTO

CAMELLO

¡Has encontrado un camello! ¿Tienes una silla de montar? Esta criatura puede llevar hasta a dos jugadores a una altura a la que la mayoría de las criaturas hostiles no llegan. Por si fuera poco, pueden cruzar ríos y barrancos, además de correr. Una manera excelente de cruzar el desierto.

CONEJO

¡¿Que nos hemos quedado sin comida?! ¿Ni una mísera zanahoria para atraer a esta criaturita? Los conejos son difíciles de atrapar y en el desierto no hay nada más que comer a menos que encuentres una aldea. Mientras lo persigo, te cuento unas cosillas: se generan en casi todos los biomas y son de varios colores. Cuando por fin lo atrapes, puede soltar una pata de conejo, un ingrediente para pociones.

JUNGLA

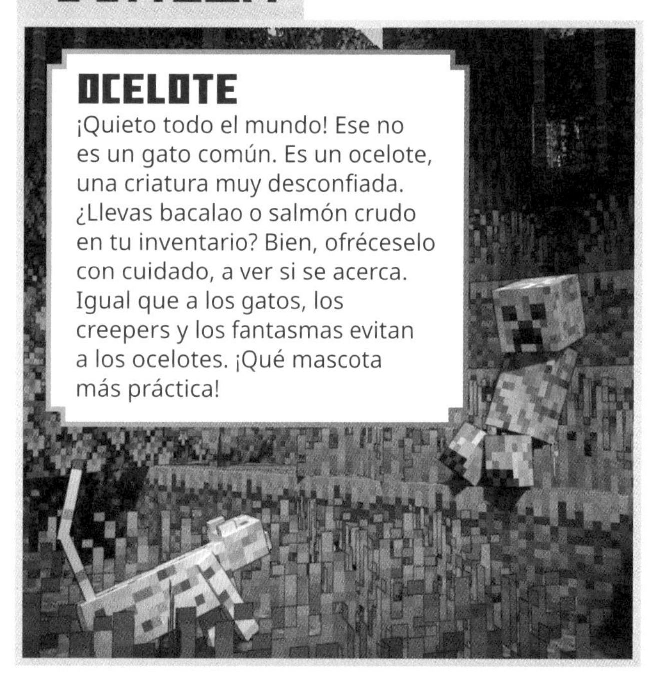

OCELOTE

¡Quieto todo el mundo! Ese no es un gato común. Es un ocelote, una criatura muy desconfiada. ¿Llevas bacalao o salmón crudo en tu inventario? Bien, ofréceselo con cuidado, a ver si se acerca. Igual que a los gatos, los creepers y los fantasmas evitan a los ocelotes. ¡Qué mascota más práctica!

LORO

¿Quieres ver algo genial? Pon un disco en ese tocadiscos, ¡el loro se pondrá a bailar! Podrás domarlo con semillas, y quedará chulísimo sobre tu hombro. ¡Pero ni se te ocurra darle una galleta! Lo digo por experiencia. DEP Patricio el lorito.

PANDA

¡Ah! ¿Alguien lleva bambú? Los pandas seguirán a cualquiera que lo tenga. Además, tienen personalidades diferentes: los hay perezosos, ansiosos, bromistas, débiles, agresi... ¡Eh! ¿Quién ha pegado a ese panda? ¡Aah, corre! ¿Cómo se te ocurre golpearlo?

NIEVE

OSO POLAR

¡Oh, mira, una familia! No nos acerquemos, no querrás que el oso adulto te tome por una amenaza para su cachorro. ¡No queremos que nos ataque una criatura tan feroz después de evitar a un panda!

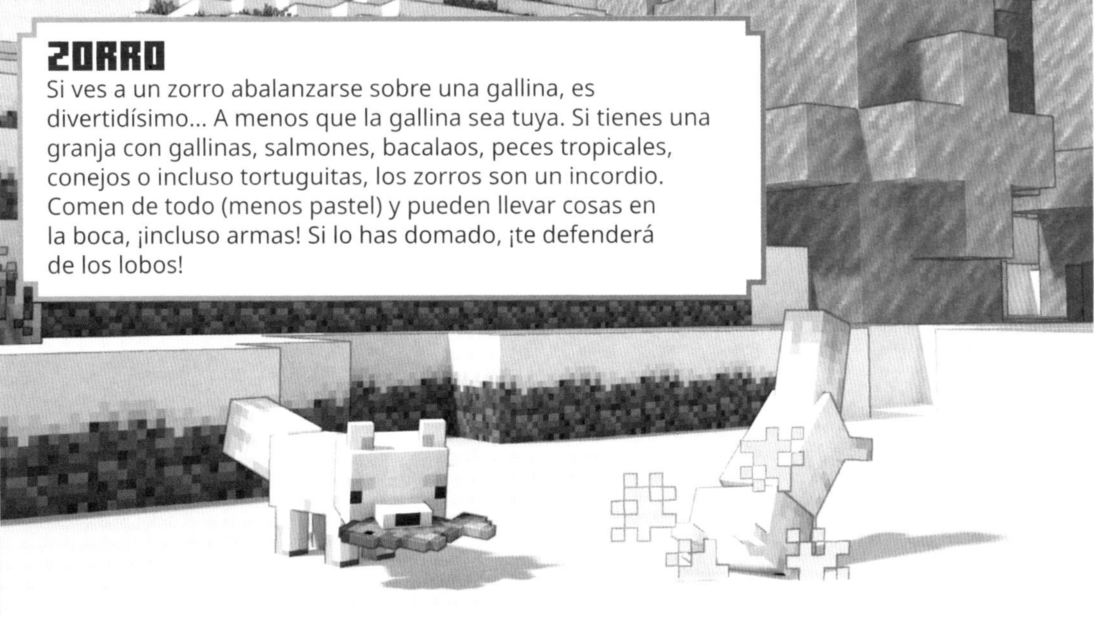

ZORRO

Si ves a un zorro abalanzarse sobre una gallina, es divertidísimo... A menos que la gallina sea tuya. Si tienes una granja con gallinas, salmones, bacalaos, peces tropicales, conejos o incluso tortuguitas, los zorros son un incordio. Comen de todo (menos pastel) y pueden llevar cosas en la boca, ¡incluso armas! Si lo has domado, ¡te defenderá de los lobos!

CUEVAS

CALAMAR BRILLANTE

¡Sabía que cavar bajo esa azalea merecía la pena! ¡Hemos encontrado una cueva frondosa! ¿Ves ese resplandor bajo el agua? ¿No es precioso? Tenemos suerte de verlo, ¡normalmente los ajolotes lo atacan! Si eso sucede, usará su mejor defensa: distraer a sus atacantes con su tinta turquesa mientras se aleja.

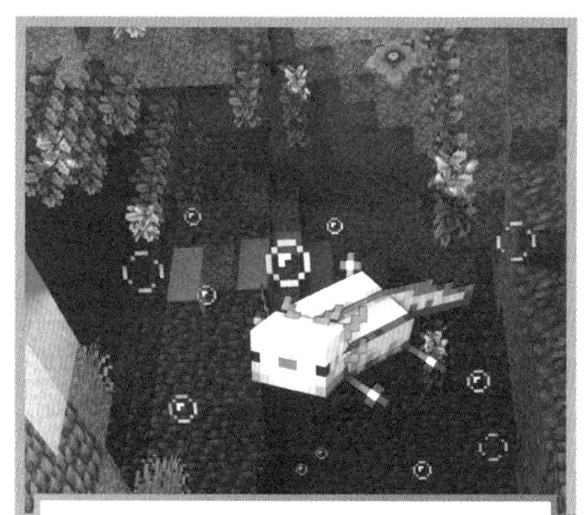

AJOLOTE

¡Un ajolote! Es una de las criaturas más adorables del Mundo superior, ¡mira qué carita! Si lo atacan bajo el agua, se hará el muerto hasta que pase el peligro, ¡qué listo! Puedes llevarte uno a casa en un cubo y hacerlo criar con peces tropicales.

MURCIÉLAGO

¡No mires arriba, vendrá un vampiro a chuparte la sangre! Es broma, en Minecraft no hay vampiros... ¡por ahora! Pero en las cuevas hay muchísimos murciélagos. Estas criaturas son inofensivas y vuelan sin rumbo. A veces caen en la lava; muy listas no son, la verdad.

PANTANO

RANA

¡Una rana!
La visita al pantano merece la pena, a pesar de las brujas. Ah, y hay renacuajos en el agua. ¡Suerte que he traído el cubo! Si me los llevo a un bioma con una temperatura distinta, al crecer serán de un color diferente a esta rana naranja: blanca si es cálido y verde si es frío. ¿Mola o qué?

PLAYA

TORTUGA MARINA

¿Ves esa tortuga? ¡Tiene un bebé! Al crecer, sueltan una escama que podrás recoger para fabricar un casco de caparazón de tortuga. ¿Sabías que si a una tortuga la alcanza un relámpago se convierte en un cuenco? Te seguirá con hierba limón, pero siempre regresan al lugar de donde salieron del huevo.

VIL METAL

Paco Pala a tu servicio. ¿Te apetece una aventura minera? Hay muchos metales ocultos bajo la superficie que podrás usar para fabricar nuevos objetos, algunos más valiosos que otros. Los más raros están a mucha profundidad, donde solo los jugadores más decididos los encontrarán... ¿Te ves capaz?

MINERAL DE COBRE

ENCUÉNTRALO EN: niveles -16 a 112
BÚSCALO EN: bioma de playa, cueva kárstica
CÓMO MINAR: pico de piedra o más resistente
USO: pararrayos, catalejo

MINERAL DE HULLA

ENCUÉNTRALO EN: niveles 0 a 320
BÚSCALO EN: cualquier bioma
CÓMO MINAR: cualquier pico
USO: antorcha, fogata, descarga de fuego, antorcha de alma

MINERAL DE ORO

ENCUÉNTRALO EN: niveles -64 a 256
BÚSCALO EN: bioma de los páramos
CÓMO MINAR: pico de hierro o más fuerte
USO: manzana y zanahoria de oro, rodaje de sandía brillante, herramientas de oro, armadura de oro y mucho más

MINERAL DE HIERRO

ENCUÉNTRALO EN: niveles -64 a 320
BÚSCALO EN: cualquier bioma
CÓMO MINAR: pico de piedra o más fuerte
USO: ballesta, herramientas de hierro, armadura de hierro, cubo, brújula, chisquero de pedernal, tijeras y mucho más

MINERAL DE LAPISLÁZULI

ENCUÉNTRALO EN: niveles -64 a 64
BÚSCALO EN: cualquier bioma
CÓMO MINAR: pico de piedra o más fuerte
USO: azul, cian, azul claro, tinte magenta o morado, panel de cristal tintado azul, terracota azul

MINERAL DE ESMERALDA

ENCUÉNTRALO EN: niveles -16 a 320
BÚSCALO EN: bioma de montaña, bioma de colinas ventosas
CÓMO MINAR: pico de hierro o más fuerte
USO: bloque de esmeralda, esmeralda (como moneda para comerciar con aldeanos)

MINERAL DE REDSTONE

ENCUÉNTRALO EN: niveles -64 a 15
BÚSCALO EN: cualquier bioma
CÓMO MINAR: pico de hierro
USO: reloj, diana, brújula, dispensador, observador, lámpara de redstone, antorcha de redstone

MINERAL DE DIAMANTE

ENCUÉNTRALO EN: niveles -64 a 16
BÚSCALO EN: cualquier bioma
CÓMO MINAR: pico de hierro o más fuerte
USO: herramientas de diamante, armadura de diamante, mesa de encantamientos, plantilla de herrería y mucho más

La superficie del océano está en el nivel 62 y los niveles disminuyen a medida que cavas.

PREPÁRATE PARA CAVAR

¡Eh, calma! ¿Vas a cavar con las manos? Antes de emprender una aventura minera, llena el inventario con lo básico. Si no, corres el riesgo de morir de hambre o caer en un hoyo sin herramientas para salir, o en manos de criaturas hostiles… ¿Lo vas pillando? La preparación es esencial.

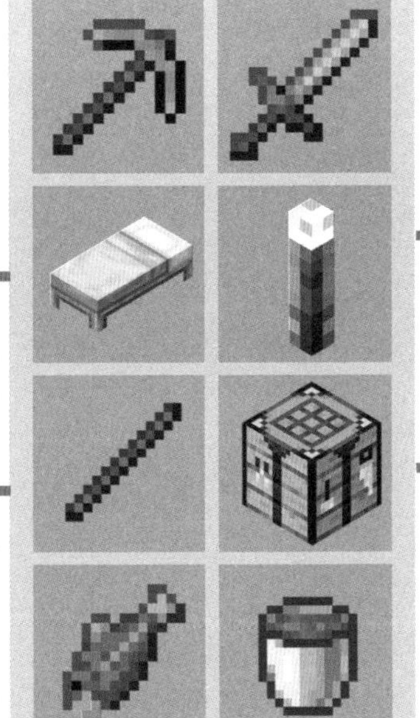

HERRAMIENTAS DE PIEDRA
Antes de empezar, necesitas herramientas de piedra, por lo menos. Las de madera no te durarán bajo tierra, ¡no querrás quedarte sin picos! Y no te olvides de llevar armas.

UNA CAMA
Si vas a pasar tiempo bajo tierra, te interesa llevar una cama para crear un punto de regeneración. ¡No querrás volver a empezar el descenso desde la superficie!

MADERA
Nunca viene mal llevar madera en el inventario para cuando necesites más antorchas o herramientas. Lleva al menos dos pilas de madera.

COMIDA
Bajo tierra no hay gran cosa para comer, ¡y un diamante no es muy apetitoso! Asegúrate de llevar suficientes provisiones, minar da mucha hambre.

ANTORCHAS
Para que no se te generen criaturas a la espalda, lleva una reserva de antorchas para colocarlas y tener la mina iluminada. El carbón es fácil de encontrar en colinas o justo bajo la superficie.

MESA DE TRABAJO
Ahorra tiempo con una mesa de trabajo para poder fabricar lo que necesites. Si se te olvida, ¡puedes hacerte otra!

CUBO DE AGUA
Nunca viene mal llevar uno. En un bioma de sabana, encontrarás uno en el cofre de un aldeano. Úsalo para apagar el fuego si tocas lava y para crear una cascada con la que salvar grandes desniveles a nado.

CONSEJOS

Las herramientas no lo son todo para prepararte. ¡La información es poder! Aquí tienes los mejores consejos para tener la barra de salud y el inventario llenos.

¡QUE SE HAGA LA LUZ!

Las cuevas son enormes y es fácil perderse o no ver los peligros. Puedes usar un rastro de antorchas para saber regresar. Además, si las pones todas del mismo lado, sabrás en qué dirección vas. Las antorchas también evitarán que se te generen criaturas detrás en túneles estrechos. Pero no evitarán que te sigan desde otros lugares.

PARA SALIR

Has llegado hasta abajo, ahora ¿cómo vuelves? ¡Suerte que llevas mucha madera! Las escaleras de mano son fáciles de hacer y regresarás a la superficie cargado de tesoros.

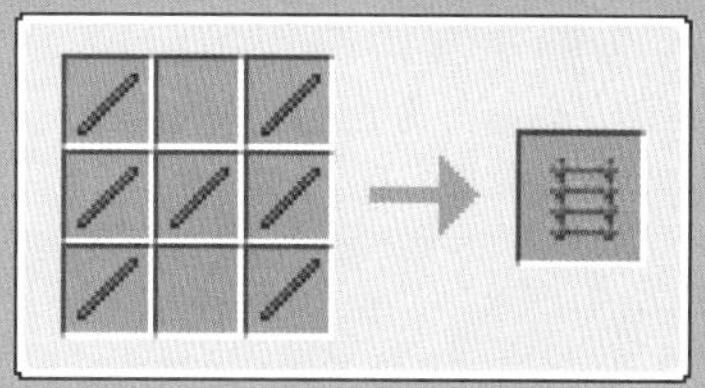

ZAMBULLIDAS

¿Debes salvar un gran desnivel y no llevas un cubo de agua? Muchas cuevas contienen riachuelos y lagos. Si tienes uno debajo y te sientes valiente, ¡salta! El agua impedirá que recibas daño por caída. Pero ¡cuidado! ¡Algunos riachuelos desembocan en pozos de lava!

SUBE EL VOLUMEN

No siempre es fácil detectar los peligros en cuevas; sube el volumen (o pon los subtítulos) y presta atención por si se acercan criaturas hostiles.

OJO CON LA CABEZA

No es buena idea minar por encima de tu cabeza; podría caerte un alud de grava que te ahogaría.

OJO CON LOS PIES

Cerca de un desnivel, usa la función de acechar para no caer por el borde.

PONTE A CUEVA

Ya tienes todo lo que necesitas para explorar bajo tierra, pero ¿por dónde empezar? ¿Te pones a cavar sin más? Poder, puedes, pero, si quieres aventura, busca una cueva.

¿POR QUÉ UNA CUEVA?

Te será mucho más fácil adentrarte bajo tierra que cavando y encontrarás minerales con más facilidad. También hay cosas molonas como pozos de lava, espeleotemas, estalactitas ¡y murciélagos monísimos!

¿HAY DOS CUEVAS IGUALES?

¡Para nada! Algunas son inmensas, llenas de túneles, y otras son más pequeñas. Con suerte, encontrarás una cueva frondosa llena de verde. Además, son el único lugar en el que encontrarás ajolotes.

¿QUÉ RECOMPENSAS TE ESPERAN?

¡La aventura, claro! Y también muchísimos minerales. Hasta puede que des con un pozo de mina abandonado, que podría contener vagonetas con cofres llenos de tesoros como diamantes, lingotes de oro y redstone. Advertencia: ¡estas estructuras suelen ser la casa de arañas de las cuevas venenosas!

¿QUÉ PELIGROS TE ESPERAN?

Las cuevas están bastante oscuras. ¿Y qué se genera en la oscuridad? ¡Criaturas hostiles! Si tienes mala suerte, tal vez te topes con una mazmorra con un generador de monstruos que irán a por ti hasta que no lo destruyas con un pico. Si sobrevives, te esperan cofres, eso sí. Ah, y hay pececillos plateados que te atacarán si minas un bloque infestado. Además de precipicios, pozos de lava y grava. Vamos, que peligros hay muchos, pero ¡así es la aventura!

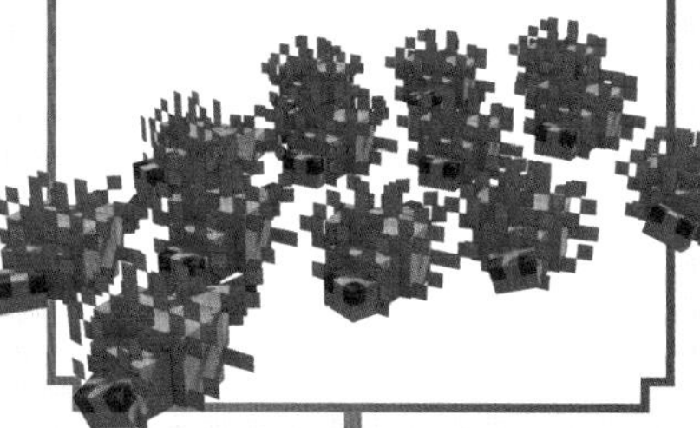

¿CÓMO SE ENCUENTRAN LAS CUEVAS?

Todos los biomas tienen cuevas. A veces encontrarás entradas en laderas de colinas o montañas, o en forma de grietas en el suelo. Si no das con una, ponte a cavar; tarde o temprano lo harás. Para encontrar una cueva frondosa, excava bajo una azalea en un bioma húmedo, como una jungla o un bosque oscuro.

> ¿A qué esperas? ¡Agarra tus cosas y a cavar! ¡El primero que llegue al fondo gana!

¡ARMADURA!

¡Yago Yelmo, qué guapo eres! ¡No, tú más! ¡Tú más! Perdón, hablaba con mi reflejo en mi reluciente armadura. Te preguntarás cómo puedo ser tan gallardo. Es gracias a mi belleza natural, pero la armadura también ayuda. ¿Por qué no te buscas una? Ofrece muchas ventajas.

¿CÓMO SE HACE?

¿Recuerdas los minerales que encontraste bajo tierra? Pues algunos los puedes fundir para convertirlos en una armadura. Si no tienes metal suficiente, puedes hacerte una del cuero obtenido de derrotar a criaturas como vacas, champiñacas, caballos, mulas, burros y llamas. ¡Hasta lo puedes teñir!

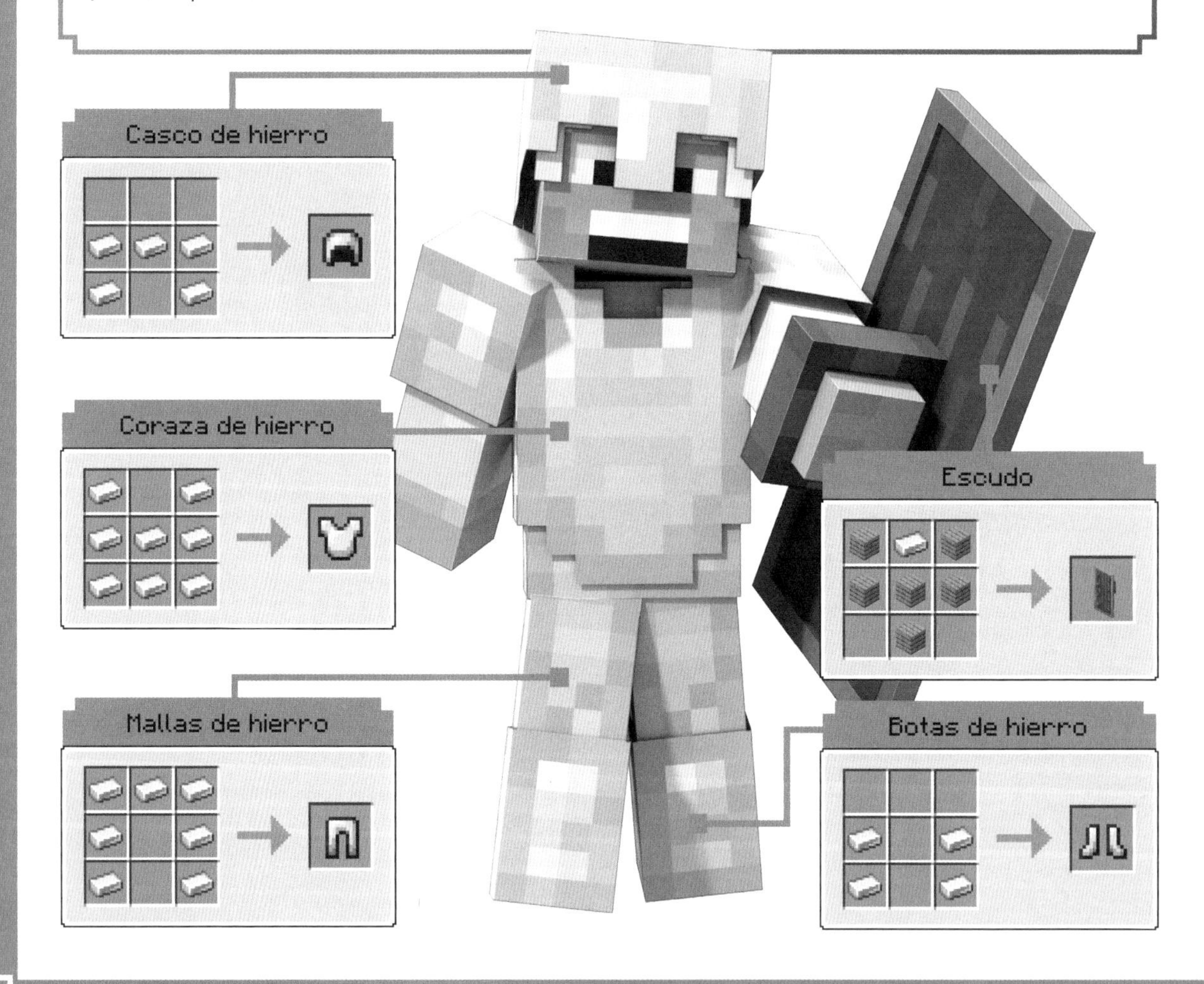

¿DÓNDE SE ENCUENTRA?

En algún momento de tu aventura en Minecraft, te preguntarás: «¿De dónde ha sacado ese gorro ese esqueleto?, ¿me quedará bien?». Si derrotas a una criatura con armadura, puede que la suelte. También hay armaduras en pueblos de taiga y puedes comerciar con los aldeanos curtidores.

¿CÓMO SE PONE?

¡Hora de vestirse! Mi parte preferida del día. Para ponerte la armadura, basta con abrir el inventario y arrastrar las distintas piezas a los recuadros correspondientes junto a tu guapísimo avatar. ¡Ya está! De oruga feúcha y vulnerable te has convertido en una hermosa y resistente mariposa.

MATERIALES

¿Qué material elegir? A veces cuesta decidir entre lo bello y lo práctico.

CUERO

El más endeble en combate, pero te protegerá de congelarte en biomas helados. ¿Lo mejor? Puedes teñirlo. ¡El mío es rosa!

CASCO DE TORTUGA

Se hace de escamas de tortuga y respirarás bajo el agua diez segundos extra. Lástima que no toda la armadura sea así...

ORO

No es muy resistente en la batalla –y el amarillo me queda fatal–, pero impide que los cerdines te ataquen; eso, si no les das motivos.

COTA DE MALLA

Igual que yo, es una armadura muy especial. Es la única que no se puede fabricar. Vas a tener que encontrarla... y ganártela.

HIERRO

De lingotes de hierro, es la más sencilla de fabricar.

DIAMANTE

Es durísima y fenomenal para luchar. Necesitarás muchos diamantes para hacerla, más te vale ponerte a cavar.

INFRAMUNDITA

Es el material más resistente que puedes encontrar, hasta te protegerá del fuego, cosa muy útil si tienes tendencia a caer en pozos de lava. Para hacerla, tendrás que sacrificar tu armadura de diamante para combinarla con inframundita.

PERSONALIZA

¿Quieres un modelito más glamuroso? ¡Claro que sí! Hay moldes de herrería ocultos en estructuras por todas partes que te permitirán transformar los detalles de tu armadura.

NO TE PIERDAS

¡Hola de nuevo! ¡Has sobrevivido a nuestro safari! Además de visitas guiadas, también doy clases de orientación por el Mundo superior, ¿cómo si no crees que he podido encontrar a todas esas criaturas? Llegar a los sitios es lo fácil, lo complicado es volver. Te contaré cómo no perderte por el Mundo superior.

VIAJAR

Recorrer el Mundo superior a pie es bastante lento y te quedarás sin puntos de hambre rápidamente, así que encuentra una silla de montar en cofres de estructuras.

CAMELLO

Si necesitas transporte en el desierto, es tu criatura. Puede llevar a dos jugadores a la vez, ¡y correr aventuras con tus amistades! Además, son tan altos que las criaturas hostiles no te alcanzarán. Y cruzan barrancos. Ay, ese era muy ancho... ¡Aah! ¡Nos vemos al otro ladoooo!

CABALLO

Una de las formas más veloces de recorrer el Mundo superior es a caballo. Basta con domarlo... ¡Ay! ¿A qué viene esa coz? ¡EH! Para, me estás dejando en evidencia. Toma, una golosina. En algún momento dejará de derribarte... Conseguido. No tienes más que ensillarlo y ¡a correr!

ENSILLAR

Todas las criaturas que se pueden montar necesitan una silla. Así que empieza a buscar una antes de que encuentres una criatura para montar. O puedes pescar una. Lo sé, ¿qué monstruo tiraría una montura al agua? No he sido yo por tener demasiadas en mi inventario, lo juro.

ORIENTARSE

Hay varias formas de orientarse. Personalmente, sigo el método «ir dando vueltas». Lo sé, no es muy práctico, así que ahí van algunas alternativas.

PUNTOS DE REFERENCIA

Para regresar a tu base, constrúyela cerca de un punto de referencia como una colina o un río... O construye tú uno, como una torre tan tan alta que se vea a cientos de bloques, ¡así nunca te perderás!

A LA CAMA

Para colocar un punto de regeneración, basta con dormir en una cama. Quiero decir, si te mueres, reaparecerás allí. No te recomiendo tirarte por un barranco para ahorrarte el paseíto...

BRÚJULA SOLAR

Puedes orientarte con el sol, que sale siempre por el este y se pone por el oeste. Pero no hagas como yo y te pongas a seguirlo..., ¡así acabé perdiéndome!

BURRO/LLAMA

No van tan rápido como los caballos, pero tienen una ventaja: puedes equiparlos con cofres, así que podrás llevarte tu colección de plumas. Ah, ¿no tienes una? ¿Qué otra cosa se puede coleccionar? ¿Cómo que comida?

BARCO

¿Viajas cerca del mar o de un río? En barco irás mucho más deprisa que a nado y, mientras no te detengas ni te acerques mucho a tierra, no debes temer por la noche a las criaturas hostiles. También puedes transportar cofres, y hasta a tus mascotas, ¿eh, Cati?

VAGONETAS

Si te gusta dónde construiste tu base, pero vas a minar a cientos de bloques de distancia, ¿por qué no te construyes un ferrocarril? Solo necesitas algunos lingotes de hierro y palos para hacer una vía que podrás recorrer en vagoneta. ¿No te parece divertidísimo?

VEN A LA ALDEA

Aquí de nuevo Ali Deana para llevarte de paseo por mi aldea. Me temo que la mayoría de los aldeanos tienen mucho trabajo —y solo dicen «hrm»—, o sea, que solo podrás hablar conmigo. Habrá traductores mejores, pero conozco bien las aldeas y sus habitantes. ¡Te enseñaré la aldea!

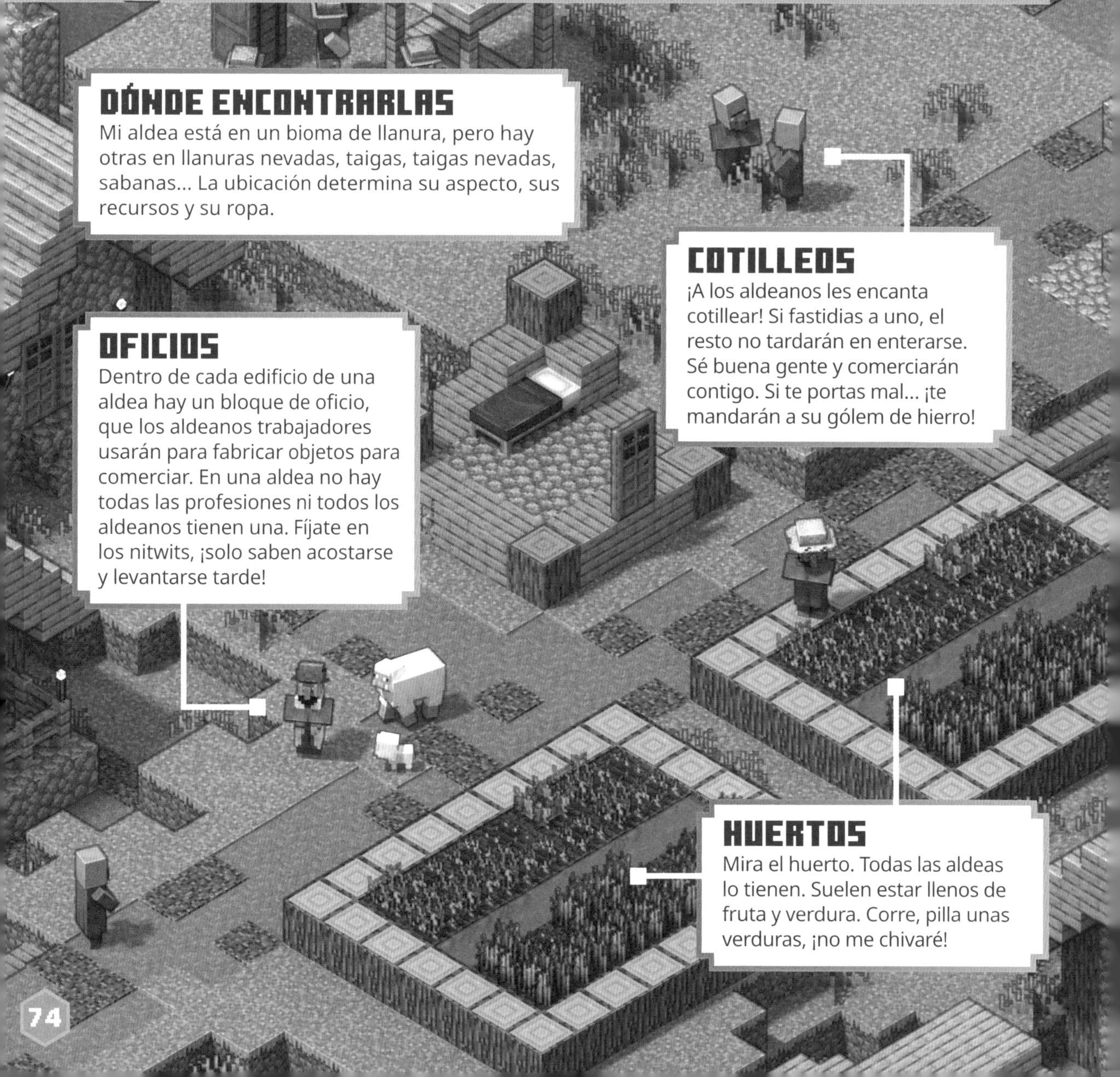

DÓNDE ENCONTRARLAS

Mi aldea está en un bioma de llanura, pero hay otras en llanuras nevadas, taigas, taigas nevadas, sabanas... La ubicación determina su aspecto, sus recursos y su ropa.

OFICIOS

Dentro de cada edificio de una aldea hay un bloque de oficio, que los aldeanos trabajadores usarán para fabricar objetos para comerciar. En una aldea no hay todas las profesiones ni todos los aldeanos tienen una. Fíjate en los nitwits, ¡solo saben acostarse y levantarse tarde!

COTILLEOS

¡A los aldeanos les encanta cotillear! Si fastidias a uno, el resto no tardarán en enterarse. Sé buena gente y comerciarán contigo. Si te portas mal... ¡te mandarán a su gólem de hierro!

HUERTOS

Mira el huerto. Todas las aldeas lo tienen. Suelen estar llenos de fruta y verdura. Corre, pilla unas verduras, ¡no me chivaré!

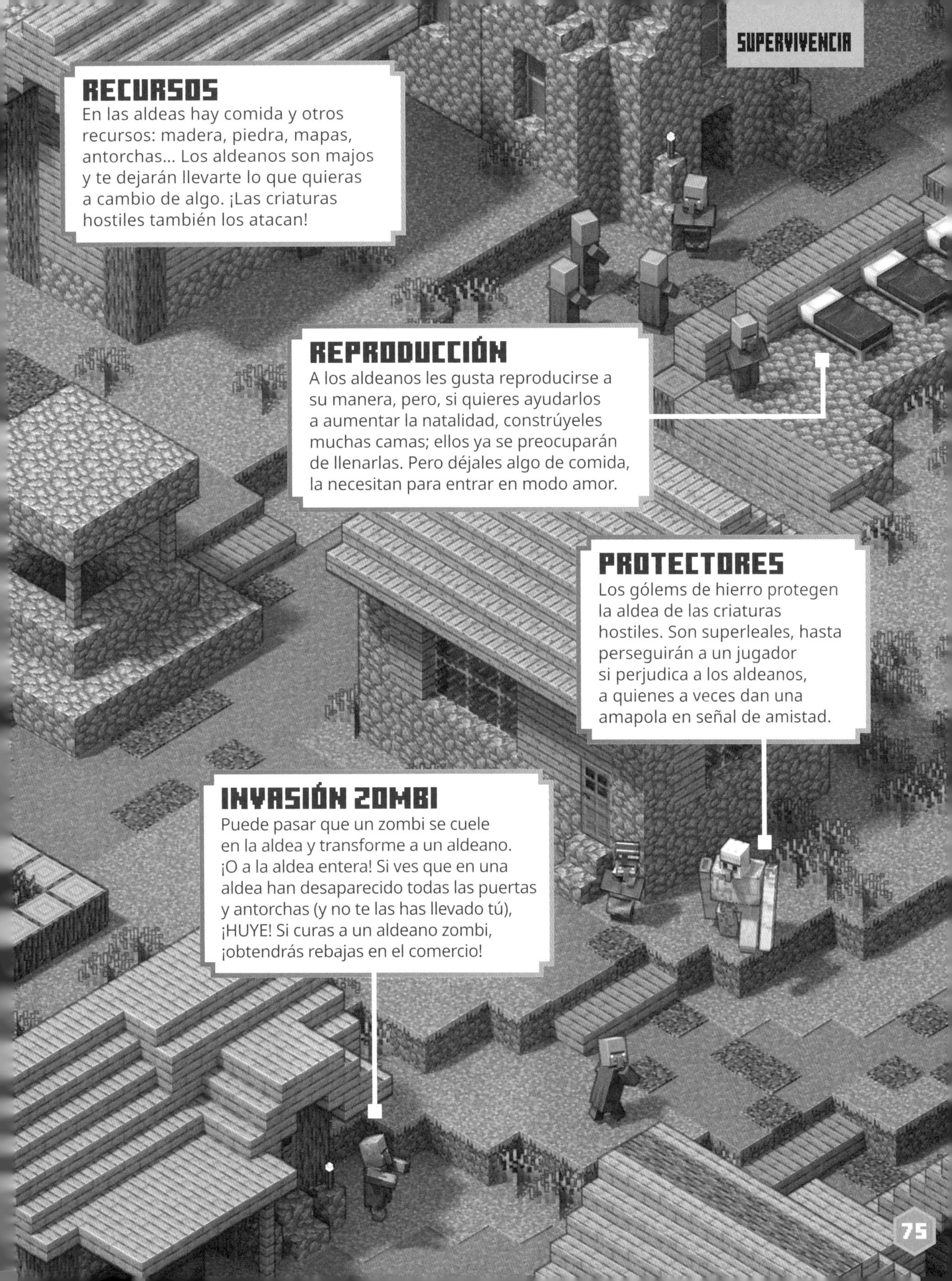

RECURSOS

En las aldeas hay comida y otros recursos: madera, piedra, mapas, antorchas... Los aldeanos son majos y te dejarán llevarte lo que quieras a cambio de algo. ¡Las criaturas hostiles también los atacan!

REPRODUCCIÓN

A los aldeanos les gusta reproducirse a su manera, pero, si quieres ayudarlos a aumentar la natalidad, constrúyeles muchas camas; ellos ya se preocuparán de llenarlas. Pero déjales algo de comida, la necesitan para entrar en modo amor.

PROTECTORES

Los gólems de hierro protegen la aldea de las criaturas hostiles. Son superleales, hasta perseguirán a un jugador si perjudica a los aldeanos, a quienes a veces dan una amapola en señal de amistad.

INVASIÓN ZOMBI

Puede pasar que un zombi se cuele en la aldea y transforme a un aldeano. ¡O a la aldea entera! Si ves que en una aldea han desaparecido todas las puertas y antorchas (y no te las has llevado tú), ¡HUYE! Si curas a un aldeano zombi, ¡obtendrás rebajas en el comercio!

TESOROS Y TRAMPAS

Vale, «trampa» no es el nombre oficial de las estructuras, ¡pero es que la mitad están llenas de trampas o protegidas por criaturas hostiles! ¿Me recuerdas? Soy Su P. Vivencia, te ayudé a sobrevivir a tu primera noche. Ah, ¿te moriste? Busquemos tesoros en las estructuras del Mundo superior.

TEMPLO DE LA JUNGLA

Vas por la jungla... cuando te topas con una estructura de adoquín. Parece abandonada. ¿Entras? ¡NO! Sin una antorcha, esta estructura siniestra es como una tumba gigante. El piso de abajo está repleto de cables trampa que desatarán una lluvia de flechas sobre ti y encontrarás un acertijo para llegar al tesoro que no resolverás sin luz. ¡No olvides el escudo y la antorcha!

PIRÁMIDE DEL DESIERTO

Tal vez divises los dibujos de terracota de esta estructura a lo lejos. Por dentro parece vacía, pero no te dejes engañar. Bajo el centro hay una cámara que contiene cuatro cofres llenos de tesoros. ¿Que cuál es la trampa? Pues la placa de presión de piedra unida a 9 bloques de TNT que hay debajo. Hagas lo que hagas, ¡NO LA PISES!

PUESTO DE AVANZADA DE SAQUEADORES

Puedes encontrar confiados allays enjaulados con gólems de hierro, esperando que los rescaten. ¿Te dan miedo los saqueadores con sus ballestas? Normal, pero si te enfrentas a ellos, se te recompensará con compañeros fieles y con tesoros. Ojo con el saqueador con un estandarte sobre la cabeza: es el capitán, y derrotarlo te dará efecto Mal Presagio, que causará un asalto en cuanto pises una aldea.

FORTALEZA

Es muy improbable que te topes con esta estructura, ¡está enterrada a mucha profundidad! Necesitarás un Ojo de Ender para encontrarla, y para eso vas a tener que arriesgar la vida en el Inframundo. Las fortalezas están llenas de pasadizos y habitaciones extrañas, como una biblioteca con cofres y una sala con un portal de End, la única forma de acceder a la dimensión del End.

MANSIÓN DE BOSQUE

Una construcción inmensa llena de habitaciones extrañas y cachivaches, una verdadera cueva del tesoro. Sin embargo, esos tesoros no están indefensos. La estructura está protegida por evocadores y vindicadores, y no les hacen ninguna gracia los intrusos. Sin embargo, si buscas bien, tal vez encuentres a otro allay.

DIMENSIONES

Ya conoces el Mundo superior, la dimensión más amistosa de Minecraft. ¿Qué me dices de las otras dos? Soy Pati Portal, y vengo a decirte que ahí fuera hay cosas muuucho más terroríficas que un creeper. Si creías que el Mundo superior estaba lleno de peligros, verás lo que te espera en el End...

EL INFRAMUNDO

La primera dimensión nueva que encontrarás es el Inframundo, lleno de paisajes extraños y criaturas aterradoras. Perfecciona tus habilidades con la espada antes de ir si quieres sobrevivir...

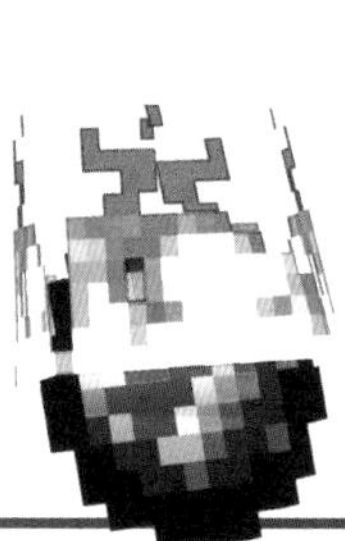

¿CÓMO SE LLEGA?

Al Inframundo se llega por un Portal del Inframundo. Puedes construirlo con 10 bloques de obsidiana, o reparar uno que te encuentres en el Mundo superior. Necesitarás un hacha de diamante, la única herramienta que sirve para minar obsidiana. Cuando lo termines, basta con encenderlo con fuego. Esa era la parte fácil...

¿QUÉ TE ESPERA AL LLEGAR?

Es una dimensión muy peligrosa, llena de pozos de lava, fuertes desniveles y criaturas hostiles. ¡Morir nunca fue tan fácil! Solo hay una criatura pasiva y una fuente de alimento y, si crees que los cerdines se portarán bien contigo, ¡lo llevas claro!

¿PARA QUÉ HAY QUE IR?

¿Desafío? ¿Aventura? ¿Tesoros a espuertas? ¿La esperanza de llegar al End? ¡Tú decides! El Inframundo tiene tantos tesoros como riesgos. Además, si te gusta hacer pociones, te interesa derrotar a un blaze. Pero no te apures, en el Mundo superior aún te queda mucho por hacer.

EL END

El End es el hogar del Dragón de Ender, una de las criaturas hostiles más poderosas de Minecraft. No es fácil llegar, ¡pero sobrevivir a esta dimensión es toda una hazaña!

¿CÓMO SE LLEGA?

Llegar aquí es un pelín (vale, un MONTÓN) más difícil que al Inframundo. Tendrás que encontrar un Portal de End en una fortaleza, y están bajo tierra. Para saber dónde cavar, necesitarás un Ojo de Ender. Para hacerlo precisas de dos ingredientes: perlas de Ender y polvo de blaze. Lo primero lo conseguirás derrotando a un enderman, y lo segundo, a un blaze del Inframundo. Una vez halles una fortaleza y el Portal de End de su interior, necesitarás 12 perlas de Ender para activar el portal.

¿QUÉ ME ESPERA CUANDO LLEGUE?

Una vez llegues al End, serás recibido por el Dragón de Ender. No, no es un dragón amistoso, ojalá. Al contrario, tendrás que librar la más cruenta batalla para vencerlo. Y si crees que puedes escaparte, siento decepcionarte. La única forma de salir del End, una vez has entrado, es derrotar al Dragón de Ender o ser derrotado. ¡Arriba esa armadura!

¿POR QUÉ QUERRÍA IR YO?

¿Te suena terrorífico? Lo es. No debes ir a menos que estés bien preparado para luchar. ¡Y para eso aún falta! Pero llegará un día en que ansiarás un reto como este. Además, si derrotas al Dragón de Ender, podrás visitar las ciudades de End, en las que encontrarás un botín asombroso, incluyendo élitros: alas que te permitirán volar. ¡¿A quién no le va a gustar eso?!

¿POR QUÉ EL MODO CREATIVO?

Es el modo perfecto si lo que quieres es construir hasta hartarte sin pensar en las criaturas hostiles ni en tener que recoger todos los bloques primero. Es de lejos el más fácil para crear inmensas construcciones, ya que tendrás todos los bloques del juego a tu alcance.

¿QUÉ ES EL MODO CREATIVO?

En modo Supervivencia juegas para sobrevivir; en Creativo, para crear. Tienes todos los bloques a tu disposición, desde los de construcción, TNT..., hasta generadores de criaturas. ¿Quieres un santuario para animales? ¿Una guarida subterránea secreta? ¡A construir se ha dicho!

¿POR QUÉ ELEGIR MODO CREATIVO?

SIN LÍMITE

En modo Creativo tendrás acceso ilimitado a bloques: están en tu inventario. Y, al contrario que el modo Supervivencia, no tienes que viajar a otra dimensión para conseguir los bloques. ¡Puedes construir con lo que quieras! Abre tu inventario y elige.

VELOCIDAD

No tener que recoger o fabricar bloques es una de las grandes ventajas del modo Creativo. Puedes construir un castillo de cristal sin tener que recoger arena para fabricar cristal. Pon un bloque en tu barra activa y nunca se agotará.

SIN CRIATURAS HOSTILES

¿Te agota que te derroten cada vez que se pone el sol? En modo Creativo, no solo puedes elegir que no se ponga el sol, sino que no tendrás miedo a que se te acerquen criaturas hostiles por la espalda.

PUEDES VOLAR

No tendrás que viajar al End a por élitros. Con un doble salto, ¡volarás! Así te será mucho más fácil encontrar el lugar perfecto para crear inmensas estructuras sin tener que trepar.

SIN HAMBRE

Construye horas y horas sin miedo al hambre. Piensa en lo que podrías crear y en la cantidad de cerdos que salvarás al no tener que pararte a merendar.

ELIGE UN LUGAR

La primera decisión que tomarás en modo Creativo es «¿Dónde construyo?». Con tantos biomas donde elegir, es una pregunta difícil. Suerte que yo, Terri Forma, soy una experta en paisajismo. ¿Y qué hago exactamente?, te preguntarás. ¡Ahora te lo cuento!

DESIERTO

Para divertirte bajo el sol, ¿qué tal un bonito sitio en un bioma de desierto? Un castillo de arena gigante, o una inmensa pirámide... ¡Hay infinitas posibilidades!

MONTAÑA

No hay nada mejor que las vistas desde lo alto. Construye una base en la cima de un pico o excava una montaña. ¡Te sentirás el rey del Mundo superior!

EN LA NIEVE

Abrígate bien y construye una base molona en un bioma nevado. ¿Qué me dices de un chalé alpino, un iglú o un castillo de hielo?

BAJO EL AGUA

¿Lo bueno de no morirse en modo Creativo? ¡Respirar bajo el agua, claro! Haz realidad tus sueños de sirena y vete a vivir bajo el mar.

"¡No pierdas el tiempo yendo a pie! Con un salto doble ¡volarás!"

CLARO DEL BOSQUE

¿Quién no querría una cabaña de madera en un encantador bioma de bosque? Basta con quitar árboles y allanar el suelo para tener más espacio.

DESDE CERO

Ahora que has encontrado el lugar perfecto, voy a ayudarte a construir tu base. ¡Soy Edu! ¡El famoso arquitecto de Minecraft! ¿Que no has oído hablar de mí? Me ofendes. Bueno, al terminar me estarás tan agradecido que hablarás de mí a todos tus amigos. Edu Ficio, no lo olvides.

CONSTRUCCIÓN

Antes de empezar, decide qué bloques necesitarás. Hay tantos donde elegir que no es fácil. Te sugiero que escojas algunos distintos para crear tu estilo, como estos:

TRONCO DE ROBLE

ADOQUÍN

PUERTA DE ROBLE

ANTORCHA

PANEL DE CRISTAL

LOSA DE ROBLE

PASO 1

Empieza con 6 pilares de 3 troncos de roble espaciados en un rectángulo de 7x9 bloques. Talla el suelo entre los pilares y cúbrelo con losas de roble. Pon una losa extra delante de tu base; ahí es donde estará la puerta.

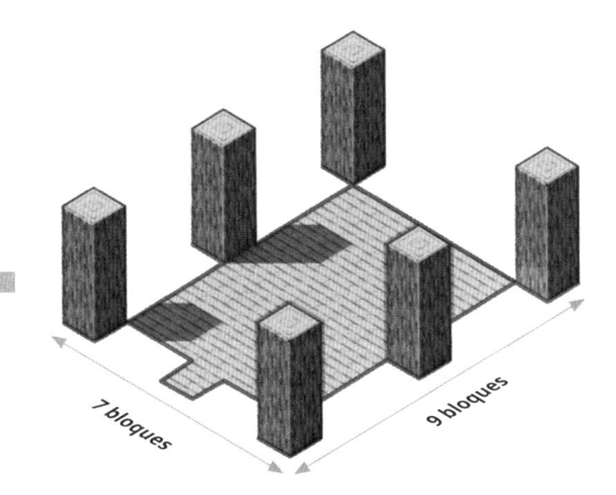

PASO 2

Usa bloques de adoquín para rellenar el espacio entre pilares. Deja un espacio de 2 bloques de altura para la puerta, y otros para ventanas. Coloca 3 bloques de adoquín extra sobre la fachada anterior y posterior.

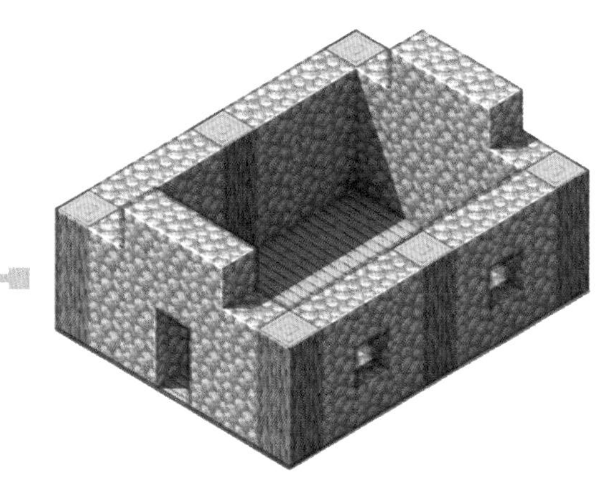

PASO 3

Añade la puerta de roble y paneles de cristal para las ventanas. Coloca antorchas para iluminar el edificio por dentro y por fuera.

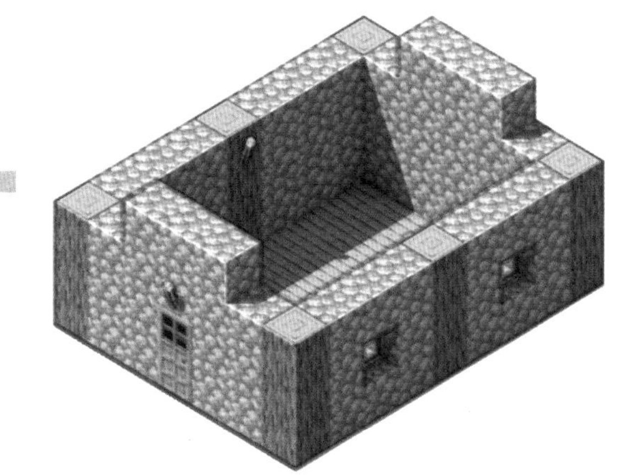

PASO 4

Viene lo más difícil: el tejado. Empieza con una hilera de losas de roble que sobresalgan en los lados largos del edificio. Luego, en hileras superpuestas de 2 bloques, ve construyendo el tejado a dos aguas hasta la cúspide.

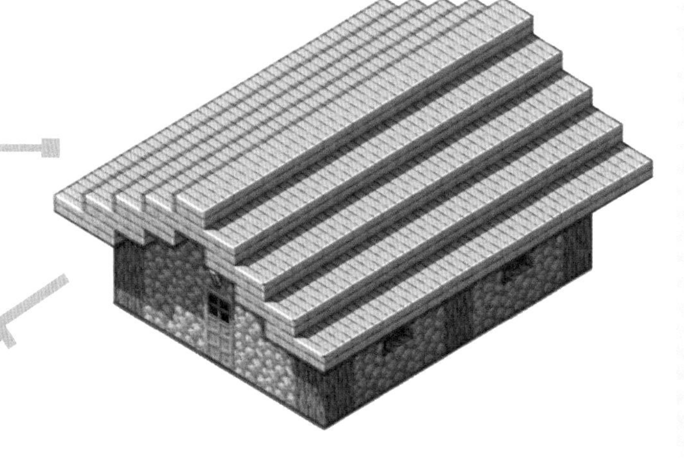

FRONTAL

ÚLTIMOS TOQUES

¡Bien hecho! Ya tienes tu primera base en modo Creativo, ¡pero la diversión no termina! Es hora de decorar. Tendrás que convertirte en un manitas, puesto que no hay muchos muebles en tu inventario. Aquí aprenderás a hacer algunos básicos que podrás personalizar.

SILLAS

En el juego no hay sillas, ¡pero puedes hacer todo tipo de sillas tú mismo con losas, puertas, escaleras y trampillas!

MESAS

Puedes hacer mesas con bloques de todo tipo como escaleras, losas, trampillas, vallas, alfombras..., ¡incluso yunques!

ENCANTAMIENTOS

Con estanterías, puedes construir un rincón ideal. O pasar de la mesa de encantamientos para hacerte una biblioteca llena de relatos épicos.

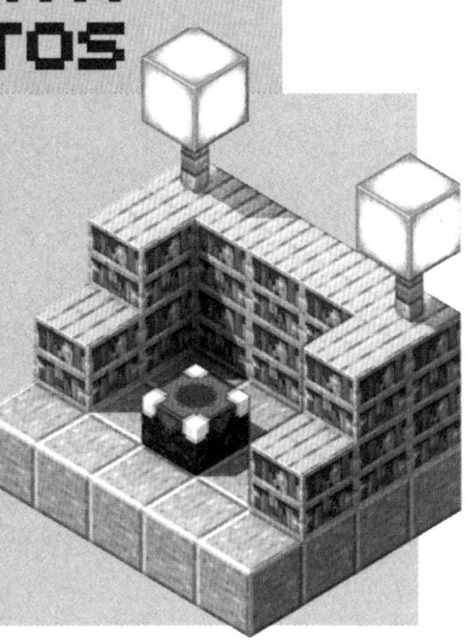

ALMACENAJE

Si eres como yo fan del orden, ¡construye esta pared cajonera con letreritos para tenerlo todo bien clasificado y una escalera para llegar a todos los cajones!

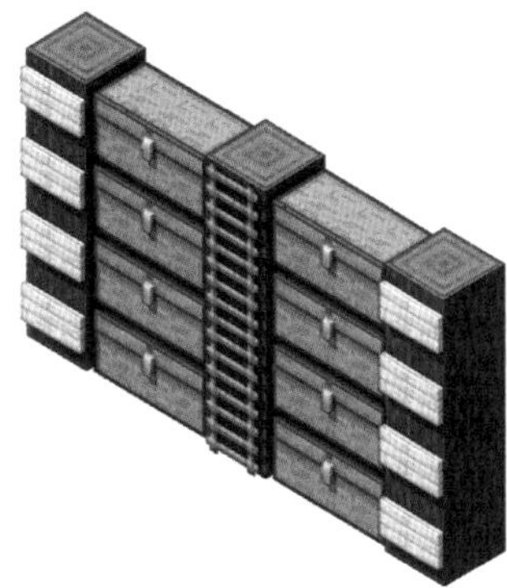

CAMAS

Las camas no tienen por qué ser aburridas, aunque solo las uses para dormir. Personalízalas con losas, trampillas, tablones y mesas de trabajo.

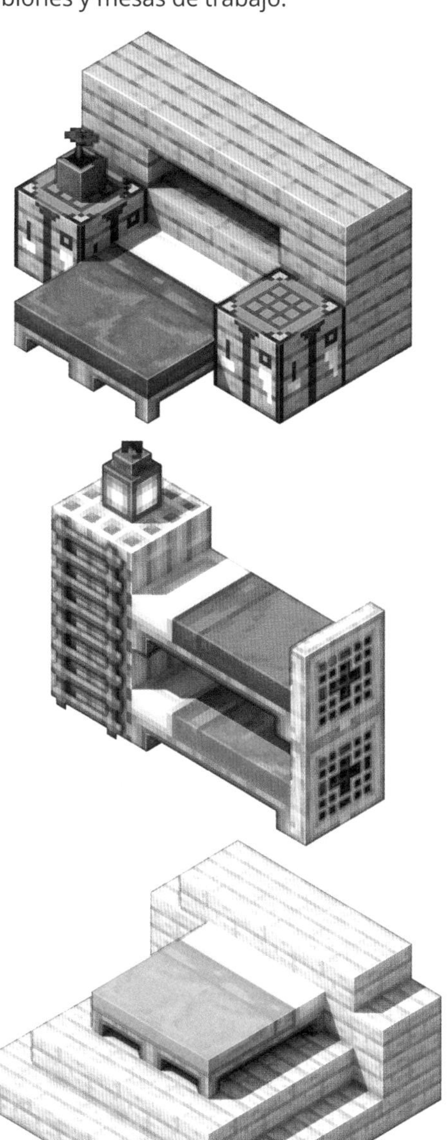

ALFOMBRAS

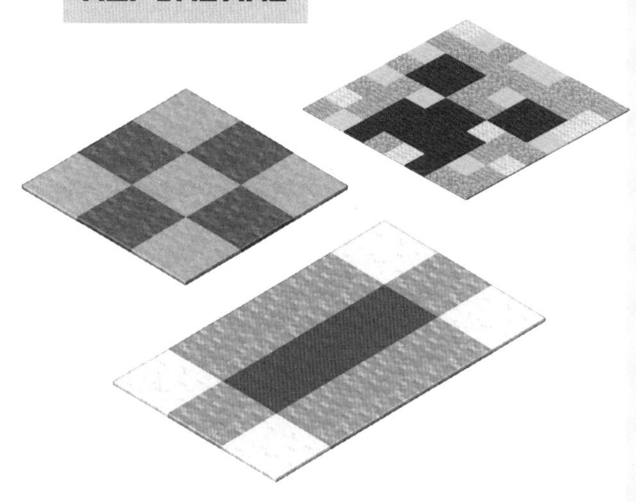

Ideales para dar carácter a tus construcciones. Usa bloques de colores distintos para hacer un dibujo.

PUESTO DE POCIONES

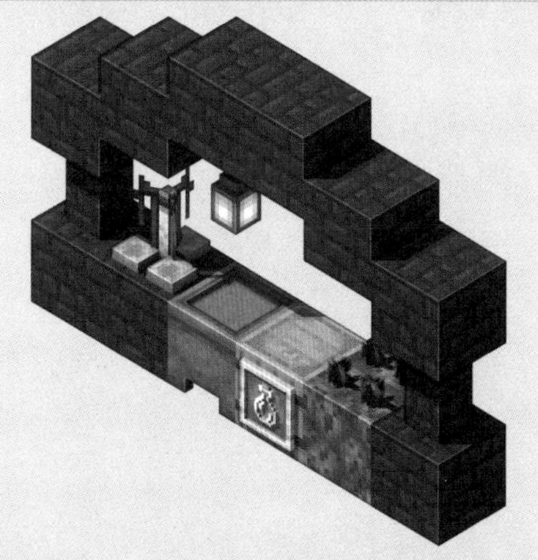

¿Quién quiere una cocina pudiendo tener un puesto de pociones? Este tiene losas, bloques y paredes, además de una linterna de alma.

JARDINERÍA

¿Creías que ya habías acabado? ¡En el exterior queda MUCHO por decorar! En tu inventario hay árboles, hojas y flores para el jardín, y mucho material para crear un espacio maravilloso. ¡Mira estas ideas!

JARDINERAS

En un macetero antiguo o en cuatro trampillas alrededor de un bloque de tierra, coloca postes y hojas para hacer árboles y arbustos. ¿A que queda mono?

LUCES

Las antorchas y linternas no están mal, pero ¿no quieres algo un poco más sofisticado? ¡Por supuesto que sí! Con paredes, vallas, trampillas y losas crearás lámparas únicas.

COLUMPIO

¿A quién no le gusta un columpio? Añade troncos a un árbol para crear una rama, y luego cuelga cadenas enganchadas a losas para formar el columpio. Puedes hacer un respaldo con trampillas.

POZO

¡Deseo que construyas este pozo! Con una mezcla de bloques, losas, paredes y vallas tendrás la estructura, solo te faltarán un bloque de agua y una cadena.

FUENTE

Primero crea un dibujo en el suelo y una estatua. Con escaleras crea el contorno, y con un bloque de agua sobre la estatua tendrás tu fuente.

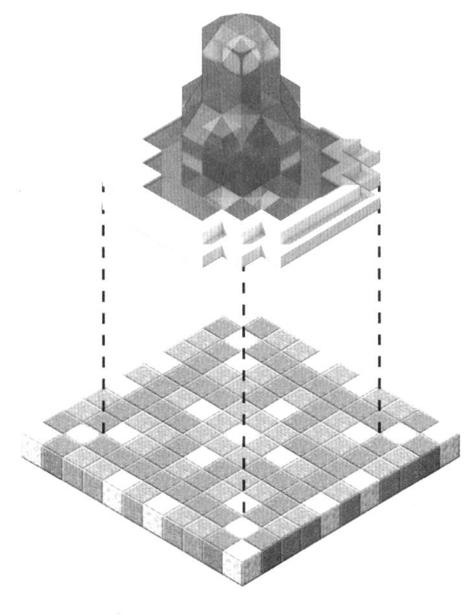

PUENTES

¡Creatividad al poder! Puedes construir puentes tradicionales o algo más rústico, como uno hecho de fogatas. ¡No olvides apagarlas antes de cruzar!

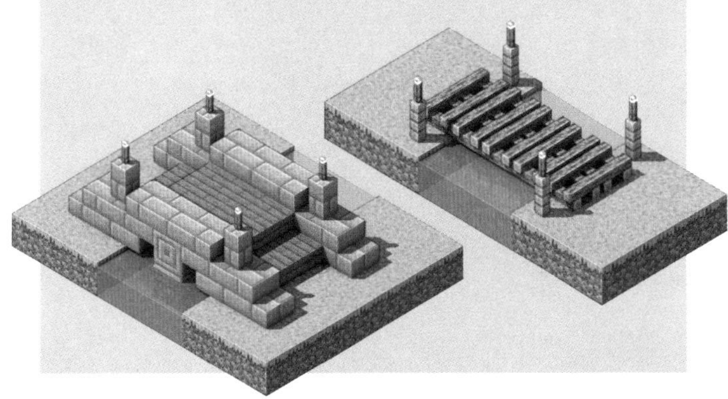

CAMINOS Y CARRETERAS

Puedes hacer caminos con mucho carácter, como esta carretera de rocanegra y bloque de hueso, o este camino de piedra mixta.

ESTANQUE

Para hacer una charca para ranas, excava un círculo irregular, llénalo de agua y añade algunos nenúfares y algo de vegetación alrededor.

“¡En la pág. 92 hay un ejemplo de cómo combinar estas bases para crear un espacio exterior genial!”

BRICOMANÍA

Te enseño algunas de las estructuras que he construido. ¿A que ahora entiendes por qué soy famoso? ¿No? ¡Pues a ver si tú lo haces mejor! Te ayudará tener una idea clara de lo que quieres hacer y de qué bloques necesitarás antes de empezar. Aquí tienes algunas ideas.

PISOS

Eleva tu base y conviértela en un bloque de pisos. Repite la misma construcción para cada piso. ¡No olvides ponerle escaleras!

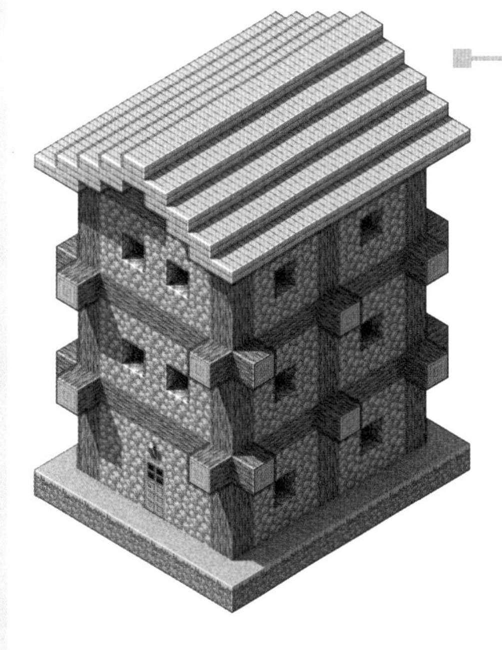

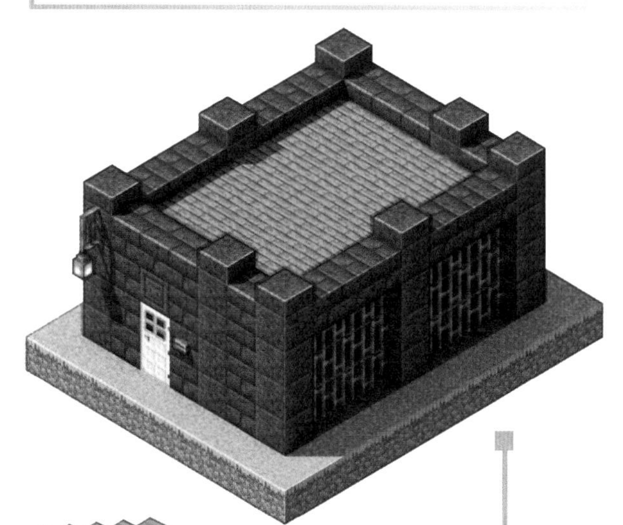

TIENDA

¿Quieres abrir un negocio? Añade un toldo, escaparates y algunos atriles y tendrás una tienda monísima.

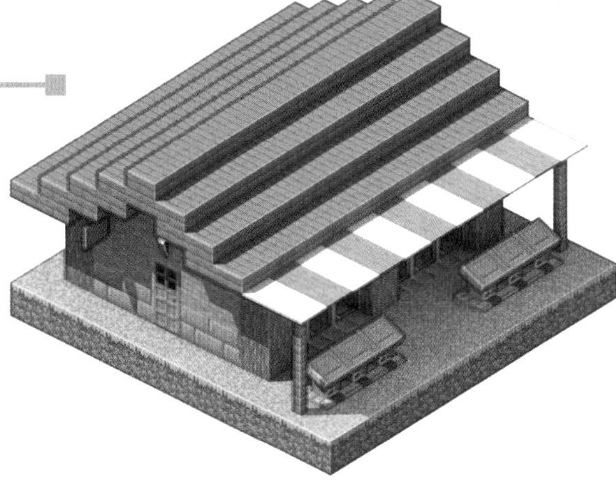

CÁRCEL

En este modo no tienes que preocuparte por criaturas hostiles, ¡pero siempre puedes encarcelarlas por incordiar! Añade barras de hierro y allana el tejado.

UN TOQUE DE COLOR

He aquí algunos bloques que darán color a tus construcciones. ¡Prueba a usarlos en tu próxima base!

ESTABLO

¡Para los amantes de los animales! Quita la puerta y pon algunas vallas para hacer una casa para tus criaturas preferidas.

BIBLIOTECA

Tienes no uno, sino DOS tipos de estantería en el inventario, ¿cómo no vas a querer construir una biblioteca?

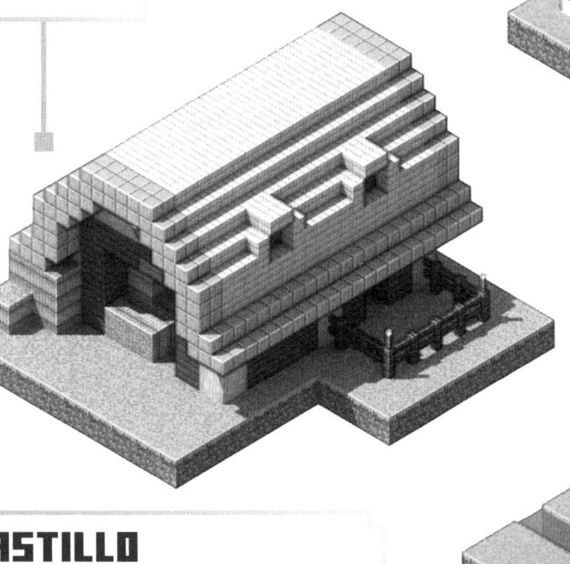

CASTILLO

¿Quieres una base digna de la realeza? Añade almenas al tejado y trampillas en la puerta para que quede de lo más aristocrático.

CONSTRUYE UN ASENTAMIENTO

Has terminado tu construcción y te preguntas: ¿y ahora qué? Podrías construir algo distinto. Pero si te gusta la base que acabas de hacer, ¿por qué no convertirla en un pueblo? Puedes tomar elementos de tu primera estructura y combinarlos para tu asentamiento.

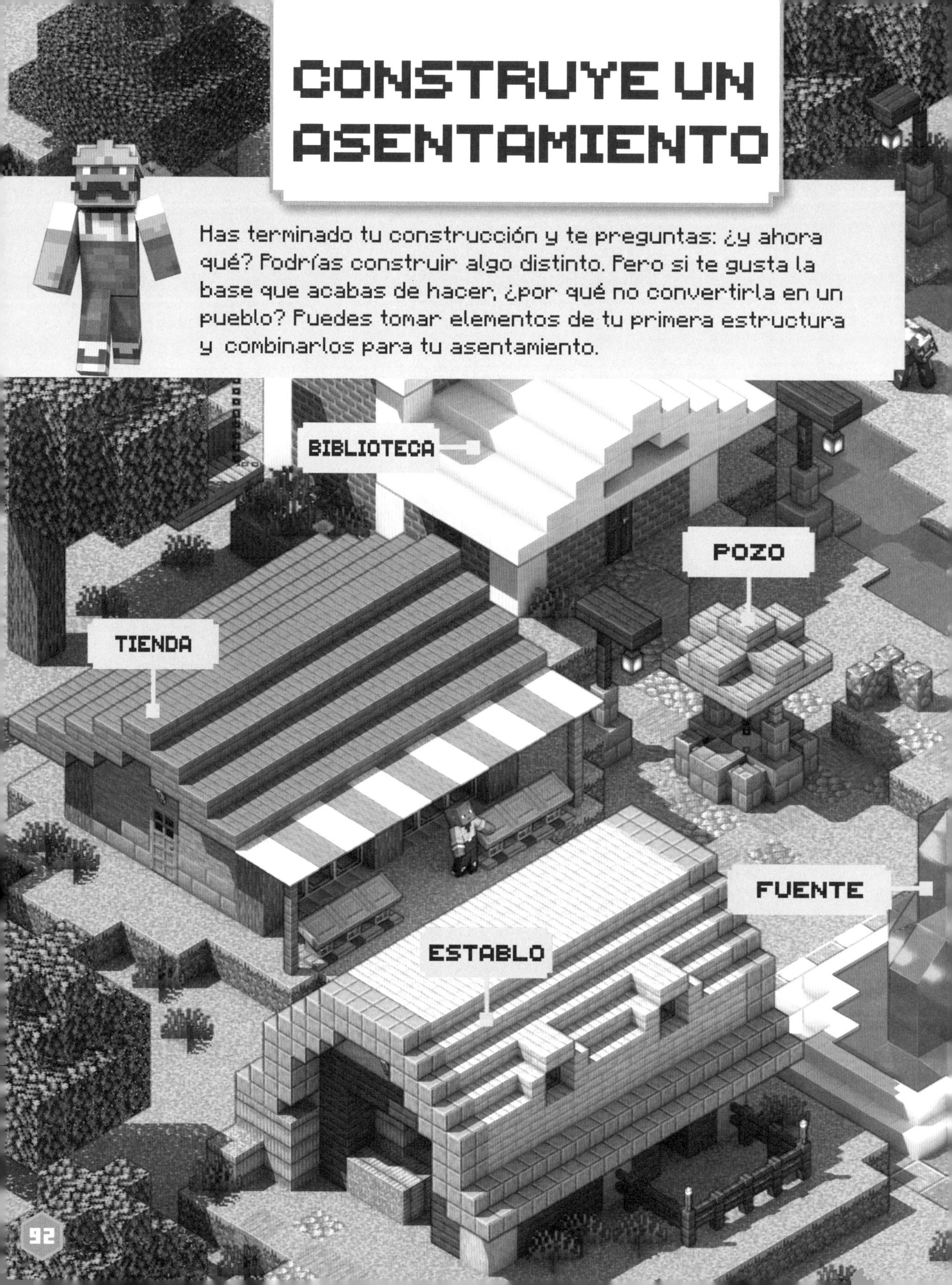

CÁRCEL
ESTANQUE
CASTILLO
CAMINOS
PISOS
PUENTE
FAROLA

¡ADIÓS!

¡Ya está! Tienes en tus manos las herramientas necesarias para comenzar tu aventura en Minecraft. ¿A que es emocionante?

¿Te enfrentarás a hordas de criaturas en modo Supervivencia o construirás una estructura increíble en Creativo?

Sea como sea tu viaje, esperamos que disfrutes muchísimo descubriendo estos mundos llenos de diversión.

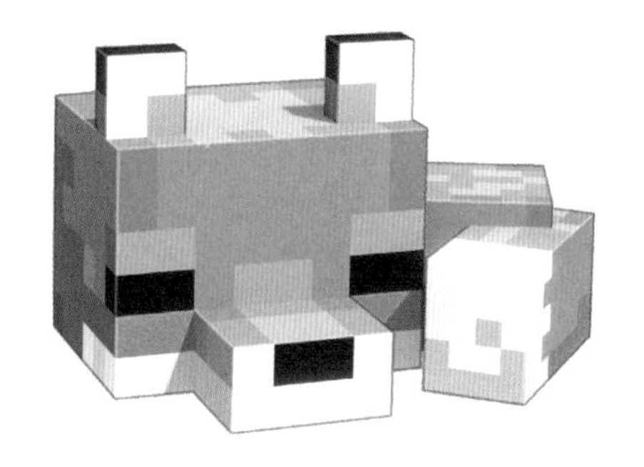